Magdalena Ozorowska *Grammar explanations*
Andrea Schwingshackl *Vocabulary / Cultural studies*

A 2.2

MENSCHEN

Deutsch als Fremdsprache

Glossary XXL

Deutsch – Englisch
German – English

Hueber Verlag

| 5. | 4. | 3. | | | Die letzten Ziffern |
| 2024 | 23 | 22 | 21 | 20 | bezeichnen Zahl und Jahr des Druckes. |

Alle Drucke dieser Auflage können, da unverändert,
nebeneinander benutzt werden.
1. Auflage
© 2015 Hueber Verlag GmbH & Co. KG, München, Deutschland
Umschlaggestaltung: Sieveking · Agentur für Kommunikation, München
Layout und Satz: Sieveking · Agentur für Kommunikation, München
Druck und Bindung: Firmengruppe APPL, aprinta druck GmbH, Wemding
Printed in Germany
ISBN 978–3–19–061902–3

Art. 530_13853_001_03

Contents

Lektion 13: Meine erste „Deutschlehrerin"

1

die Bratwurst, ⸚e	*Ich hätte gern einmal die Bratwurst.*	*fried sausage*
der Deutschlehrer, - / die Deutschlehrerin, -nen	meine erste „Deutschlehrerin"	German teacher

BILDLEXIKON

an·schauen	Schauen Sie deutsche Filme an.	to watch, to view
auf·schreiben	Ich muss immer Sätze aufschreiben.	to write down
lösen	Ich finde es wichtig, dass man viele Grammatik- aufgaben löst.	to solve
die Nachrichten (Pl.)	Man sollte oft Nachrichten hören.	news
nach·sprechen	*Ich muss Sätze immer sofort nachsprechen.*	*to repeat sth. after so.*
das Vokabelkärtchen, -	*Für mich gibt es nur einen Weg: Vokabelkärtchen schreiben.*	*flash card*
wiederholen	Ich muss Wörter oft wiederholen.	to repeat

Wörter übersetzen

Lieder mit·singen

Fehler korrigieren

Zeitschriften lesen

viel sprechen

Bilder zeichnen

SPRACHEN LERNEN

3

eineinhalb	*Hat Paul Marie für eine Woche oder eineinhalb Monate besucht?*	*one and a half*
die Gegenwart (Sg.)	heute (= Gegenwart)	present
das Goethe-Institut, -e	Er hat Deutschkurse am Goethe-Institut besucht.	Goethe-Institut
häufig	Wie oft ist das passiert? – Häufig.	often
der Muttersprachler, - / die Muttersprachlerin, -nen	*Wenn man eine Fremdsprache lernen will, muss man mit Muttersprachlern sprechen.*	*native speaker*
das Semester, -	Das Stipendium hat Paul im vierten Semester bekommen.	semester
das Stipendium, -ien	*Das Stipendium hat Paul im vierten Semester bekommen.*	*scholarship*

verlieben (sich)	Paul hat sich in Marie verliebt.	to fall in love
verreisen	Marie ist lange verreist.	to go away on a trip

4

die Klasse, -n	Ich habe Englisch gelernt, als ich in die dritte Klasse gekommen bin.	year, class, form, grade
die Sprachlern-geschichte, -n	Schreiben Sie einen Text zu Ihrer Sprachlern-geschichte.	language-learning-story
verteilen	Mischen Sie die Texte und verteilen Sie sie.	to hand out
die Volkshochschule, -n	Wo haben Sie Ihren ersten Deutschkurs besucht? – An der Volkshochschule.	adult education centre
weitere	*Haben Sie weitere Fremdsprachen gelernt?*	*other*

5

allerwichtigst-	Der kommunikative Typ findet Sprechen am allerwichtigsten.	single most important
auditiv	*Der auditive Typ muss die Sprache oft hören.*	*auditory, ear-minded*
bewegen (sich)	Der haptische Typ möchte sich gern bewegen.	to flow
haptisch	*Der haptische Typ arbeitet sehr gern mit seinen Händen.*	*haptic*
der Klang, ⸚e	*Für den auditiven Typ ist der Klang einer Sprache wichtig.*	*sound*
kognitiv	*Der kognitive Typ findet Grammatik sehr wichtig.*	*cognitive*
kommunikativ	*Ohne Sprachpraxis kann der kommunikative Typ keine Sprache lernen.*	*communicative*
der Lernertyp, -en	Zu den meisten Menschen passt nicht nur ein Lernertyp.	learning style
merken (sich)	Ich muss Sätze so oft wie möglich hören, dann kann ich sie mir gut merken.	to remember
möglich	Man muss natürlich so viel wie möglich üben.	possible
die Sprachpraxis (Sg.)	Ohne Sprachpraxis kann der kommunikative Typ keine Sprache lernen.	linguistic practice
der Test, -s	Tests helfen mir nicht.	test, examination
der Typ, -en	Welche Typen passen zu Ihnen?	type
visuell	*Der visuelle Typ muss alles sehen.*	*visual*

6

entfernt (sein)	„lieben" – Dieses Wort ist für mich das schönste deutsche Wort, weil es nur ein „i" vom Leben entfernt ist.	(to be) apart
frei: frei haben	Nach einer Sternschnuppe hat man immer einen Wunsch frei.	free: to have a free wish
der Geruch, ⸚e	*„Sommerregen" ist das schönste deutsche Wort, weil ich den Geruch von Sommerregen gern mag.*	*smell*

| der Sommerregen, - | Ich mag den Geruch von Sommerregen, denn er erinnert mich an den Sommer. | summer rain |
| *die Sternschnuppe, -n* | *Mein schönstes deutsches Wort lautet: „Sternschnuppe".* | *shooting star* |

> **TIPP** Zerschneiden Sie die Wörter und legen Sie die Buchstaben wieder zusammen.

k o r r i
e
i r g
e
n

7

melodisch	*Vietnamesisch klingt sehr melodisch.*	tuneful, musical
(das) Türkisch	*Wie klingt Türkisch?*	Turkish
(das) Vietnamesisch	*Vietnamesisch klingt sehr melodisch.*	Vietnamese

LERNZIELE

als (temporal)	Als ich im vierten Semester war, habe ich das Stipendium bekommen.	when, at the time when (temporal)
das Audiotraining, -s	*Für mich ist das Audiotraining sehr wichtig.*	*audio training*
der Lerntipp, -s	Welcher Lerntipp aus dem Bildlexikon passt am besten zu den Lernertypen?	study tips (pl.)
die Sprachlern-erfahrung, -en	Berichten Sie über Ihre Sprachlernerfahrungen.	experience with language learning

Lektion 14: Es werden fleißig Päckchen gepackt.

1

| ein·packen | Ich glaube, sie packen Geschenke für ihr Enkel-kind ein. | to wrap up, to pack |
| das Enkelkind, -er | Ich glaube, sie packen Geschenke für ihr Enkel-kind ein. | grandchild |

2

der Handschuh, -e	Die Mütze, den Schal und die Handschuhe legen wir ganz unten rein.	glove
der Junge, -n	Das Päckchen geht an einen Jungen.	boy
der Karton, -s	*Was packen die beiden in den Karton?*	*cardboard box*
das Mädchen, -	Die Geschenke sind für ein Mädchen.	girl
die Nuss, ⸚e	*Nüsse sind nicht erlaubt.*	*nut*
(das) Osteuropa	In Osteuropa ist es jetzt ganz schön kalt.	Eastern Europe
das Päckchen, -	Das Päckchen geht an einen Jungen.	parcel

packen	Was packen die beiden in den Karton?	to pack
der Schal, -s auch -e	Die Mütze, den Schal und die Handschuhe legen wir ganz unten rein.	scarf, shawl
die Stofftasche, -n	Wir schenken dem Kind eine schöne Stofftasche.	fabric bag
das Stofftier, -e	Ich habe auch ein Stofftier gekauft.	cuddly toy, soft toy

der Handschuh, -e

der Schal, -s

das Bonbon, -s

das Stofftier, -e
die Mütze, -n (A1)
die Puppe, -n (A1)
das Auto, -s (A1)

BILDLEXIKON

der Absender, -	Ergänzen Sie den Absender.	sender
der Briefkasten, ⸚	Der Brief wird zum Briefkasten gebracht.	postbox, mailbox
der Empfänger, -	Das Paket wird zum Empfänger gebracht.	recipient
das Paket, -e	Das Paket wird transportiert.	parcel
unterschreiben	Unterschreiben Sie bitte hier.	to sign
die Unterschrift, -en	Die Unterschrift bitte nicht vergessen!	signature
der Schalter, -	Das Paket wird am Schalter gewogen.	counter, desk

> **TIPP**
> Beschreiben Sie Wörter, zum Beispiel *Paket*.
> Wie sieht es aus? *Es ist groß, braun, eckig ...*
> Was macht man damit? *Man bringt es zur Post ...*
> Aus welchem Material ist es? ...

3

arm	Im Dezember werden die Päckchen an arme Mädchen und Jungen verschickt.	poor
(das) Asien	Die Organisatoren verschicken die Päckchen an arme Kinder in Osteuropa und Asien.	Asia
der Organisator, -oren / die Organisatorin, -nen	Wie jedes Jahr bitten die Organisatoren Menschen in Deutschland und Österreich um ihre Hilfe.	organiser
rumänisch	1990 hat man zum ersten Mal Päckchen an rumänische Kinder verteilt.	Romanian
der Schuhkarton, -s	Seit 1990 schon gibt es das Projekt „Weihnachten im Schuhkarton".	shoe box
verschicken	Die Organisatoren verschicken die Päckchen an arme Kinder in Osteuropa und Asien.	to send, to post

4

ab·schicken	Zuletzt wird das Paket abgeschickt.	to send off, to dispatch
auf·kleben	Dann wird das Etikett mit dem Empfänger aufgeklebt.	to stick on
bekleben	Zuerst wird der Karton beklebt.	to stick sth. all over sth., to paste up with sth.
das Geräusch, -e	Hören Sie die Geräusche.	sound
das Geschlecht, -er	Bitte Geschlecht und Alter ankreuzen.	gender
das Gummiband, ¨er	Zuletzt wird der Karton mit Gummibändern verschlossen.	elastic band
das Oberteil, -e	Ober- und Unterteil eines Schuhkartons mit Geschenk-papier bekleben.	top (section)
schließlich	Schließlich wird das Paket gepackt.	at last, finally
die Schulsachen (Pl.)	Am besten verschiedene Geschenke (Stofftiere, Schulsachen und Süßigkeiten) in den Karton legen.	school supplies
das Unterteil, -e	Ober- und Unterteil eines Schuhkartons mit Geschenk-papier bekleben.	bottom (section)
verschließen	Zuletzt wird der Karton mit Gummibändern verschlossen.	to close, to seal
der Weihnachts-gruß, ¨e	Legen Sie eine Karte mit Weihnachtsgrüßen in das Päckchen.	Christmas greetings (pl.)

5

das Porto, -s	Das Porto wird bezahlt.	postage
transportieren	Briefe, Päckchen und Pakete werden transportiert.	to transport

einen Brief schreiben (A1)

eine Briefmarke (A1)
auf·kleben

einen Brief zum Briefkasten
bringen

ein Paket packen

ein Paket wiegen

das Porto bezahlen

den Absender und den Empfänger ergänzen

6

die Chili-Schokolade, -n	*drei Tafeln Chili-Schokolade*	*chilli chocolate*
die Gesichtscreme, -s	Für wen ist die Gesichtscreme?	face cream
die Konzertkarte, -n	ein Gutschein für zwei Konzertkarten	concert ticket

7

benutzen	Ich habe die Creme gleich benutzt.	to use
gebrauchen	Was können Sie gut gebrauchen?	to make use, to utilise

LERNZIELE

die Gebrauchsan-weisung, -en	Lesen Sie die Gebrauchsanweisung noch einmal.	instruction leaflet
das Passiv, -e	Passiv Präsens: Das Päckchen wird gepackt.	passive
die Zeitungsmeldung, -en	*Überfliegen Sie die Zeitungsmeldung.*	*newspaper report*

Lektion 15: Gleich geht's los!

1

der Fernsehabend, -e	Ein Fernsehabend: Würden Sie diesen Krimi gern sehen?	TV evening

BILDLEXIKON

die DVD, -s	*Was sehen Sie gern auf DVD?*	*DVD*
die Fernbedienung, -en	Wo ist denn die Fernbedienung?	remote control
der Krimi, -s	Sehen oder lesen Sie auch gern Krimis?	crime thriller, detective story
die Mediathek, -en	*Ich gucke den Krimi später in der Mediathek.*	*media centre*
der Regisseur, -e / die Regisseurin, -nen	*Sydney Pollack ist Regisseur.*	*director, producer*
der Rundfunk (Sg.)	Gemeinsam mit der ARD gehört das ZDF zum öffentlich-rechtlichen Rundfunk.	broadcasting corporation
die Sendung, -en	Auch SF und ORF produzieren Tatort-Sendungen.	programme
die Serie, -n	*Bill Cosby Show (Serie)*	*TV series*
der Zuschauer, -	*Millionen Zuschauer in Deutschland, Österreich und in der Schweiz sehen am Sonntagabend die neueste Folge.*	*spectator, audience*

2

(das) Afrika	*Jenseits von Afrika (Liebesfilm)*	*Africa*
das Fernseh-programm, -e	Lesen Sie das Fernsehprogramm.	TV programme
jenseits	*Jenseits von Afrika (Liebesfilm)*	*beyond, on the other side*
das Kabel, -	*kabeleins ist ein Privatsender.*	*cable*

der Kriminalfilm, -e	Donna Leon – Schöner Schein (Kriminalfilm)	crime movie
der Liebesfilm, -e	Jenseits von Afrika (Liebesfilm)	love story
der NDR (Norddeutscher Rundfunk)	Der NDR ist ein öffentlich-rechtlicher Sender.	NDR (Northern German broadcasting corporation)
die Regie (Sg.)	Regie: Sydney Pollack.	direction, production
(das) SAT.1	SAT.1 ist ein Privatsender.	SAT.1 (private TV station)
der Schein (Sg.)	Donna Leon – Schöner Schein (Kriminalfilm)	here: appearance
schweigen	Der Wald steht schwarz und schweiget (TV-Krimi)	to be silent
der Sender, -	Der NDR ist ein öffentlich-rechtlicher Sender.	TV station, broadcaster
der Spielfilm, -e	Jenseits von Afrika ist ein Spielfilm.	motion picture
der Super-Champion, -s	Der Super-Champion 2012 (Quiz)	super champion
der TV-Krimi, -s	Der Wald steht schwarz und schweiget (TV-Krimi)	TV detective story
das TV-Programm, -e	TV-Programm Sonntag, 14.04.	TV programme
u. a. (und andere)	Film mit Meryl Streep u. a.	and others, et. al.
das ZDF	Das ZDF (Zweites Deutsches Fernsehen) ist ein öffentlich-rechtlicher Sender.	ZDF (German television broadcasting channel)

3

die Abwechslung, -en	Die Zuschauer suchen Abwechslung.	variation
die ARD	Der Tatort ist eine Produktion der ARD.	working pool of the broadcasting corporations of the Federal Republic of Germany
begegnen	Man begegnet in Niedersachsen der kühlen Kommissarin Charlotte Lindholm.	to encounter so./sth.
brummig	In Kiel begegnet man dem brummigen Kommissar Borowski.	grumpy
derselbe	Die Kommissare werden nicht von denselben Schauspielern gespielt.	the same
drehen	Früher wurde eine Folge pro Monat gedreht.	here: to make a film, to shoot a film
die DVD-Box, -en	Man kann seinen Freunden Tatort-Sendungen als DVD-Box schenken.	DVD set
einsam	In Österreich begegnet man dem einsamen Inspektor Moritz Eisner.	lonely
das Erste Deutsche Fernsehen	Die ARD ist besser bekannt als Erstes Deutsches Fernsehen.	"The first" channel of German television broadcasting
der Fakt, -en	Fakten: Den Tatort gibt es seit 1970.	fact
der Fall, ̈e	Auch die alten Fälle kommen immer wieder ins Programm.	case
die Gaststätte, -n	Manche Gaststätten und Kneipen organisieren am Sonntagabend ein Tatort-Public Viewing.	restaurant, pub
die Gemeinschaft, -en	Das Erste ist die Gemeinschaft von neun regionalen öffentlich-rechtlichen Sendern.	corporation, collective, community

der Hauptdarsteller, - / die Hauptdarstellerin, -nen	Jeder Ort hat seine eigenen Hauptdarsteller.	lead, main actor
der Inspektor, -en	Inspektor Moritz Eisner aus Wien	inspector
knapp	Die Produktionskosten liegen bei knapp über einer Million Euro pro Folge.	scarce, short, just
der Kommissar, -e / die Kommissarin, -nen	Kommissar Borowski, Kommissarin Charlotte Lindholm	inspector
die Krimiserie, -n	Tatort … so heißt die älteste Krimiserie im deutsch-sprachigen Fernsehen.	crime series
der Lieblingsdarsteller, - / die Lieblingsdarstellerin, -nen	Wer möchte, kann seinen Freunden Tatort-Sendungen mit seinem Lieblingsdarsteller kaufen.	favourite actor/ favourite actress
(das) Niedersachsen	Man begegnet in Niedersachsen der kühlen Kommissarin Charlotte Lindholm.	Lower Saxony
öffentlich-rechtlich	„Öffentlich-rechtlich" bedeutet, dass es keine Privat-sender sind.	public-service
der Österreichische Rundfunk (ORF)	Auch der Österreichische Rundfunk produziert Tatort-Sendungen.	Austrian Broadcasting Corporation
der Privatsender, -	SAT.1 und kabel eins sind Privatsender.	commercial broadcaster, private television station
die Produktions-kosten (Pl.)	Die Produktionskosten liegen bei knapp über einer Million Euro pro Folge.	production costs
produzieren	Auch der Österreichische Rundfunk produziert Tatort-Sendungen.	to produce
regional	Das Erste ist die Gemeinschaft von neun regionalen öffentlich-rechtlichen Sendern.	regional
das Schweizer Fernsehen (SF)	Auch das Schweizer Fernsehen produziert Tatort-Sendungen.	Swiss Television
sodass	Aber auch die alten Fälle kommen immer wieder ins Programm, sodass man inzwischen fast jeden Tag Tatort sehen kann.	so that
die Spielfilmlänge, -n	Mit 90 Minuten hat der Tatort Spielfilmlänge.	feature-length
der Tatort, -e	Wer produziert den Tatort?	long-running German/Austrian/ Swiss detective television series: "Scene of crime"
das Tatort-Public-Viewing, -s	Gaststätten und Kneipen organisieren am Sonntagabend ein Tatort-Public Viewing.	Tatort-public viewing
der Textabschnitt, -e	Welcher Textabschnitt passt?	paragraph, passage
die TV-Erfolgsgeschichte, -n	Der Tatort ist eine der größten TV-Erfolgsgeschichten im deutschsprachigen Fernsehen.	TV success story
zugleich	Der Tatort ist die älteste Krimiserie und zugleich eine der größten TV-Erfolgsgeschichten.	at the same time

4

beziehen (sich)	Worauf beziehen sich die Pronomen?	to refer
der Fahrplan, ⸚e	Ich gebe dir den Fahrplan.	timetable
der Kinderwagen, -	Kannst du mir einen guten Kinderwagen empfehlen?	pram, buggy
das Parfüm, -e oder -s	Schenkt dein Mann dir Parfüm?	perfume, scent
die Rose, -n	Kauft dein Mann dir oft Rosen?	rose
der Topf, ⸚e	Bringst du mir bitte einen Topf.	pot
weg·nehmen	Ich nehme meinen Kindern das Handy weg, wenn sie ihre Hausaufgaben nicht machen.	to take away

5

anschließend	Anschließend sehen wir uns den neuen Tatort an.	afterwards
die Erdnuss, ⸚e	Dazu gibt's immer Erdnüsse.	peanut
die Gewohnheit, -en	Ich habe keine feste Gewohnheit.	habit
das Gläschen, -	Ich trinke dann immer ein, zwei Gläschen Sekt oder Wein.	small glass
die Lieblingssendung, -en	Ich habe keine Lieblingssendung.	favourite programme
die Lieblingsserie, -n	Haben Sie eine Lieblingsserie?	favourite series
die Sportschau	Ich sehe jeden Samstag um 18.00 Uhr die Sportschau.	favorite sports magazine on German TV

der Fernseher, - (A1)

der Zuschauer, -

die Fernbedienung, -en

der Schauspieler, - (A1)

der Sekt, -e

die Erdnuss, ⸚e

die Fernsehzeitung, -en / das TV-Programm, -e

6

die Badewanne, -n	Ich nutze mein Handy überall, außer in der Badewanne.	bathtub
chatten	Ich chatte knapp 2 Stunden am Tag mit Freunden.	to chat
der E-Book-Reader, -	Nutzen Sie einen E-Book-Reader?	e-book reader
das Medienverhalten (Sg.)	Medienverhalten: Welche Medien nutzen Sie am häufigsten?	media consumption
das Netzwerk, -e	Ich nutze oft soziale Netzwerke.	network

LERNZIELE

die Fernsehgewohn-heit, -en	über Fernsehgewohnheiten sprechen: Ich sehe am liebsten Krimis.	TV viewing habits
die Medien (Pl.)	Welche Medien nutzen Sie am häufigsten?	media
das Objekt, -e	*Stellung der Objekte: Er schenkt sie ihm.*	*object*
die Stellung, -en	Stellung der Objekte: Er schenkt sie ihm.	position

MODUL-PLUS LESEMAGAZIN

1

ab·reißen	*In unserer Straße wird ein Haus abgerissen.*	*to demolish*
der / die Ältere, -n	*Stimmt es also, was Ältere sagen?*	*older person*
analog	*Aber ein paar Dinge mache ich noch analog, z.B. essen.*	*analogue*
an·gucken	*Wahrscheinlich, weil ich keine Serien im Internet anguckt.*	*to look at, to watch*
aufwendig	*Puh! Ganz schön aufwendig!*	*extravagant, costly*
aus·graben	*Ich muss meine alte Kamera wieder ausgraben.*	*to dig out*
der Digital Native, -s	*Wissenschaftler nennen einen Menschen wie mich Digital Native.*	*digital native*
einzeln-	*Ich hatte zwar weniger Konktakte, aber der einzelne Kontakt war länger und intensiver.*	*individual*
entweder	Ich gehe entweder mit meinem Smartphone oder mit dem PC ins Internet.	either
erreichbar (sein)	*Schließlich bin ich schon mit Handy zu selten erreichbar.*	*(to be) available*
das Fazit, -e oder -s	*Fazit: Ich hatte zwar weniger Konktakte, aber der einzelne Kontakt war länger und intensiver.*	*conclusion*
genervt (sein)	*Normalerweise ist sie immer total genervt, wenn ich nebenbei noch SMS schreibe.*	*(to be) irritated*
hinterher	Hinterher wird der Brief noch in den Briefkasten geworfen.	afterwards
die Hosentasche, -n	Ich fühle das Handy in der Hosentasche vibrieren.	(trouser) pocket
intensiv	*Der einzelne Kontakt war länger und intensiver.*	*intensive*
internetfrei	*Ich werde in Zukunft öfter mal eine internetfreie Woche planen.*	*internet free*
kommunizieren	Ich kommuniziere über das Internet.	to communicate
konsumieren	Ich kaufe, konsumiere und kommuniziere über das Internet.	to consume
nebenbei	Normalerweise ist sie immer total genervt, wenn ich nebenbei noch SMS schreibe.	besides
der Phantomschmerz, -en	*Ich habe „Phantomschmerzen": Ich fühle mein Handy in der Hosentasche vibrieren, obwohl es gar nicht da ist.*	*phantom pain*
der Profi, -s	Dieses Mal fühle ich mich wie ein Profi.	professional
Puh!	*Puh! Ganz schön aufwendig!*	*Phew!*

der Selbstversuch, -e	Ich will es genau wissen und starte einen Selbst-versuch.	self study, self-experiment, self-attempt
das Smartphone, -s	Ich gehe mit meinem Smartphone ins Internet.	smart phone
süchtig	Stimmt es also, dass das Internet süchtig macht?	addicted, hooked
die Telefonzelle, -n	Weil ich keine SMS oder E-Mails verschicken kann, suche ich unterwegs nach öffentlichen Telefonzellen.	phone box
übertrieben (sein)	Oder sind diese Ängste übertrieben?	(to be) exaggerated
übrig: übrig haben	Am Nachmittag habe ich plötzlich viel Zeit übrig.	left: left over
der Umgang (Sg.)	Für mich ist der Umgang mit dem Internet ganz normal.	approach to sth., handling, dealings (pl.)
vibrieren	Ich fühle mein Handy in der Hosentasche vibrieren.	to vibrate
der Wissenschaft-ler, - / die Wissen-schaftlerin, -nen	Wissenschaftler nennen einen wie mich Digital Native.	scientist

MODUL-PLUS FILM-STATIONEN

1

(das) Bayern	Weißwürste sind eine Spezialität aus Bayern.	Bavaria
die Essiggurke, -n	Braucht man für Labskaus Essiggurken?	gherkin, pickled cucumber
das Gericht, -e	Es ist ein norddeutsches Gericht.	dish
die Kartoffelsuppe, -n	Sie kocht Kartoffelsuppe.	potato soup
die Rote Bete, -n	Rote Bete ist eine Zutat für Labskaus.	beetroot
die Salatgurke, -n	Salatgurken sind keine Essiggurken.	cucumber
der Seefahrer, -	Seefahrer haben Labskaus nach Deutschland gebracht.	seafarer, sailor
süddeutsch	Kennst du ein typisch süddeutsches Gericht?	southern German
die Weißwurst, ⸚e	Weißwürste sind eine Spezialität aus Bayern.	(Bavarian) veal sausage
das Würstchen, -	Braucht man für Labskaus auch Würstchen?	sausage

2

der / die Gazpacho, -s	In Spanien habe ich Gazpacho gegessen.	gazpacho
die Gemüsesuppe, -n	Das ist eine kalte Gemüsesuppe.	vegetable soup

MODUL-PLUS PROJEKT LANDESKUNDE

1

abwechslungsreich	Abwechslungsreiches Lernen in kleinen Gruppen	varied
der Anfängerkurs, -e	Die Sprachschule bietet nur Anfängerkurse an.	beginners' course
das Angebot, -e	Wir haben für alle Wünsche das passende Angebot.	offer
attraktiv	Zahlreiche Ausflüge und ein attraktives Freizeitprogramm	attractive
die Gastfamilie, -n	Egal ob Hotel, Gastfamilie oder Zimmer – wir haben die passende Unterkunft für Sie.	host family

das Gelernte (Sg.)	So können Sie das Gelernte gleich in die Praxis umsetzen.	things you have learned
die Methode, -n	Unsere Lehrer arbeiten mit kreativen Methoden.	method
die Prüfungsvorberei-tung, -en	Ob Standardsprachkurse oder Kurse zur Prüfungsvor-bereitung, wir haben für alle Wünsche das passende Angebot.	exam preparation
der Standardsprach-kurs, -e	Ob Standardsprachkurse oder Kurse zur Prüfungsvor-bereitung, wir haben für alle Wünsche das passende Angebot.	standard language class
die Umgebung (Sg.)	Bei den Ausflügen lernen Sie Berlin und seine Umgebung kennen.	surroundings (pl.)
um·setzen	So können Sie das Gelernte gleich in die Praxis umsetzen.	to implement

2

| ab·laufen | So läuft der Unterricht ab: ... | to proceed |
| die Grammatikübung, -en | kleine Gruppen, wenig Grammatikübungen, viele Rollenspiele | grammar exercise |

MODUL-PLUS AUSKLANG

1

der Einkaufswagen, -	Sogar mein Einkaufswagen ist virtuell.	shopping trolley/cart
klicken	Am Ende wird noch mal kurz geklickt.	to click
das Minigehalt, ⸚er	Für den stressigen Job gibt's nur ein Minigehalt.	minimum wage
der Paketdienst, -e	Meine Arbeit beim Paketdienst wird schlecht bezahlt.	parcel service
der Preisvergleich, -e	Preisvergleich. Das geht superleicht.	price comparison
stressig	Für den stressigen Job gibt's nur ein Minigehalt.	stressful
virtuell	Sogar mein Einkaufswagen ist virtuell.	virtual

Grammar Explanations

Lektion 13: Meine erste „Deutschlehrerin"

Conjunctions join two sentences or parts of sentences and show the relationship between them.

Conjunction als

The word **als** has different meanings and can play various roles in the German language. It can be used as a preposition, meaning **as** or **than**.

Ich arbeite **als** Lehrerin.	*I work as a teacher.*
Ich arbeite hier schon länger **als** Gisela.	*I have been working here longer than Gisela.*

Als is used as **conjunction** in the subordinate clause of temporal sentences. It is used for describing one-time events, but only in the past. The English equivalent is **when**.

Ich habe von der Uni ein Stipendium bekommen, als ich im vierten Semester war.	*I received a scholarship from the university when I was in fourth term.*

When the sentence begins with a subordinate clause it begins with a conjunction. It means that the whole subordinate clause is treated as the **first place in the sentence**. Therefore the main clause **starts with a verb**, straight after the comma.

Als ich ein Kind war, hatte ich eine kleine Katze.
Ich hatte eine kleine Katze, als ich ein Kind war.

Regardless of where the subordinate clause is placed, the verb in personal form will always be at the very end of it.

Conjunctions als and wenn

A very common difficulty for learners of German is to distinguish when to use **wenn** and **als**, especially if similar options make sense.

Ich hatte lange Haare, **als** ich zur Schule ging.	*I used to have long hair when I was a schoolgirl. (The entire time at school is treated as a one-time event!)*
Ich hatte immer Magenschmerzen, **wenn** ich in die Schule ging.	*I always had a sore stomach when I went to school. (The situation repeated itself)*

In most cases a simple test helps (this is not a strict grammar rule!): If **immer** (*always*) can be added and the sentence still makes sense, the right conjunction is **wenn**. If **immer** doesn't make sense in the sentence, the right conjunction is **als**.

Lektion 14: Es werden fleißig Päckchen gepackt.

The Passive in present tense

Sentences in the passive are focused on the action or process itself, not on the acting person. The person is either not important, not known or doesn't exist.

The passive is formed with the verb **werden** and the **Partizip Perfekt** (*past participle*).

Das Päckchen **wird gepackt**.   *The parcel is being packed.*

Die Geschenke **werden** in den Karton   *The presents are being put into the box.*
  gelegt.

Lektion 15: Gleich geht's los!

Verbs with two objects

Some verbs in German can have two objects: a **direct object** in the **accusative case** and an **indirect object** in the **dative case**. There are certain rules about the order of these two objects in a sentence:

I. If **both** objects are **nouns**, the dative object will be placed **first**, the **accusative object second**:

Ich schicke meiner Mutter **eine E-Mail**.   *I am sending my mother an email.*

II. If **one** of the objects is a **pronoun** and the other is a **noun**, the **pronoun** will always be **first**. It doesn't matter if it's a direct or an indirect object.

Ich schicke ihr **eine E-Mail**.   *I am sending her an email.*
Ich schicke **sie** meiner Mutter.   *I am sending it to my mother.*

III. If **both** objects are **pronouns**, the **accusative object** will be placed **first**, the dative object **second**.

Ich schicke **sie** ihr.   *I am sending it to her.*

Frequent verbs that can take two objects:

schenken	(to give as present)	nehmen	(to take)
geben	(to give)	leihen	(to borrow / to lend)
empfehlen	(to recommend)	bringen	(to bring)
schicken	(to send)	zeigen	(to show)
erzählen	(to tell so. sth.)	schreiben	(to write)
holen	(to fetch)	kaufen	(to buy)
vorstellen	(to introduce)		

Cultural Studies

German terms used in the English language

It is a well-known fact that the German language has integrated many English words. Whilst a vast amount of English words are assimilated into the German language, some words have also gone the other way, especially in academic fields such as literature, philosophy, science and politics. In these pursuits, German words are often used which is clearly a sign of the huge influence of Germans in these studies.

Since the English language does not have the "umlaut" character (*ä, ö, ü*), German loanwords, use "*ae*", "*ou*" and "*ue*" instead. Further, the German letter "*ß*" is generally changed to "*ss*" and there is no capitalisation of German nouns in English.

In the following, we investigate some common German loanwords and how they found their way into the English language.

Kindergarten

Quite possibly, the most famous German word incorporated into the English language is "kindergarten". It is so commonly used that the great majority of English speakers are no longer aware of its German origins. The kindergarten concept was founded by Friedrich Fröbel in 1837. Fröbel, a German educationalist, portrayed children (*Kinder*) as plants and the teachers as gardeners and therefore the term kindergarten was invented. In 1848,

when many Germans were fleeing to the United States due to the revolution, the concept of the kindergarten and the word *Kindergarten* itself moved with them.

Kummerspeck

Another German word with no real English equivalent is *Kummerspeck* which literally means "sorrow bacon" or "grief bacon". The word is used for excessive weight gain due to emotional overeating, often stereotypically attributed to females. Unfortunately, it is not known when and how this particular word found its way into the English language but it is certainly an interesting one to know.

Muesli

Many English speakers encounter their first German word early in the morning, namely *Müsli* – in English mostly spelled muesli.

Müsli, or *Müesli* in Swiss German, was created by a Swiss doctor around the year 1900 for his patients as part of a healthy diet. According to the legend, the Swiss physician Maximilian Bircher-Benner was served a nutritious mixture of apples, nuts and grains in a traditional mountain hut whilst walking in the hills. He instantly realised the benefits of the raw, healthy and natural ingredients and soon incorporated a similar version of this meal into his treatment programmes as a central component of therapy. Initially, muesli was quite popular as an evening dish, especially in Switzerland and Germany. Nowadays, it is mostly served at breakfast time. With the popular trend towards healthy eating starting in the 1960s, muesli spread quickly through the Western countries and soon afterwards the worldwide success story began. However, in order to aid long storage time and quick serving, muesli is now almost unrecognisable from the original freshly prepared dish with seasonal ingredients as our busy lifestyle requires instantly available meals.

Poltergeist

The German verb *poltern (to clatter, to ramble, to make a sound)* and the noun *Geist* with the meaning "ghost" or "spirit" come together to form the word "poltergeist" which literally can be translated as "noisy ghost".

We know that the German word *Poltergeist* was first used in English in mid 19th century and many instances describing the phenomenon using the German word *Poltergeist* have been documented, especially from 1880 onwards. In German, the word can be traced back to the mid 17th century. When exactly it found its way into the English language is still a mystery – just like the phenomenon itself which remains unknown, even in this day and age.

Zeitgeist

Another renowned word containing a German spirit is "zeitgeist". The Oxford Dictionary describes it as follows: "The defining spirit or mood of a particular period of history as shown by the ideas and beliefs of the time". Most likely, the term entered the English language in mid 19th century through academics and academic writing. Other theories suggest that the influence of newspapers and magazines played a major role in the wide distribution of this word. Fact is, there was no English equivalent that was able to express this precise concept and due to this lack of a better term, it was quickly embraced.

Gesundheit

When someone sneezes, the common response in the English language is "Bless you". Interestingly, in the United States one sometimes hears people saying *Gesundheit* rather than "Bless You". *Gesundheit* literally means "health" and some Americans prefer to use the latter expression due to the fact that it does not carry any religious significance. It is fairly common around the world to wish someone well after they sneeze as sneezing is often the precursor of a cold. Hence, it is only polite to wish someone good health to avoid illness.

Cultural Studies

It is believed that the large influx of early German-speaking settlers, such as the Pennsylvania Dutch, brought the word with them in the early 20th century and many Americans still consider it to be very posh and polite. It is important to note that even though the word entered the English language over a century ago, it has remained exclusively used within the United States and has not spread to other English-speaking countries.

Many other German words made their way into the English language in the 20th century due to large population upheavals in wartime and can easily be identified for their war-time origins, for example "kriegsspiel", "hinterland", "blitzkrieg", "lager" and "angst". Other German words frequently used in English are "wunderkind", "kaput", "kitsch" and "ueber" as well as many culinary delicacies such as "hamburger", "wiener", "frankfurter",

"strudel" and the not so widely-known but ever-fascinating "kaffeeklatsching" (social gathering for coffee and cake) which interestingly takes on the English grammar rules by adding the suffix -ing. Even the word "delicatessen" is often used in its German original version and many shops and eateries around the world have the German word written outside their storefronts in bold letters.

Lektion 16: Darf ich fragen, ob ...?

2

der Anrufer, - / die Anruferin, -nen	Die Anruferin möchte ein Zimmer reservieren.	caller
der Postbote, -n	*Der Postbote bringt ein Paket.*	*postman*
der Zimmerschlüssel, -	Sie wartet auf den Zimmerschlüssel.	room key

BILDLEXIKON

das Doppelzimmer, -	Möchten Sie ein Einzel- oder ein Doppelzimmer?	double room
das Einzelzimmer, -	Haben Sie noch ein Einzelzimmer frei?	single room
der Fitnessraum, ⸚e	*Der Fitnessraum ist neben dem Schwimmbad.*	*fitness/exercise room*
der Frühstücksraum, ⸚e	Gehen Sie am Frühstücksraum vorbei.	breakfast room
der Kiosk, -e	Können Sie mir sagen, wo der Kiosk ist?	kiosk
der Konferenzraum, ⸚e	Ich glaube, dass du im Konferenzraum sitzt.	conference room
das Nichtraucherzimmer, -	Haben Sie auch Nichtraucherzimmer?	non-smoking room
der Parkplatz, ⸚e	Hat das Hotel einen Parkplatz?	parking site
die Rezeption, -en	Frau Thalau steht an der Rezeption.	reception

Machen Sie sich ein Bild von den Wörtern.
Stellen Sie sich zum Beispiel einen Kiosk vor.
Was gibt es dort alles?

3

der Ärger (Sg.)	Es tut mir leid, wenn Sie Ärger hatten.	trouble
ausgebucht (sein)	*Tut mir leid, wir sind ausgebucht.*	*(to be) fully booked*
das Fragewort, ⸚er	Fragen mit Fragewort: Wie lange möchten Sie denn bleiben?	interrogative, question word
die Halbpension (Sg.)	Das Zimmer ist mit Halbpension.	half-board
der Strandblick, -e	Er bekommt ein Zimmer mit Strandblick.	beach view

4

der Aufenthalt, -e	Ich wünsche Ihnen einen angenehmen Aufenthalt.	stay
der / die Hotelangestellte, -n	Der Hotelangestellte sagt: „Wir haben nur noch Doppelzimmer."	hotel staff member
die Vollpension (Sg.)	*Haben Sie auch Zimmer mit Vollpension?*	*full board*
der Zimmerservice (Sg.)	Ich sage dem Zimmerservice Bescheid.	room service

5

| die Keller-Bar, -s | Ist die Sauna gegenüber von der Keller-Bar? | basement bar |

6

die Glastür, -en	Gehen Sie durch die Glastür.	glass door
die Empfangshalle, -n	Am besten gehen Sie durch die Empfangshalle.	foyer, lobby
das Treppenhaus, ¨er	Und dann gehen Sie ins Treppenhaus.	staircase

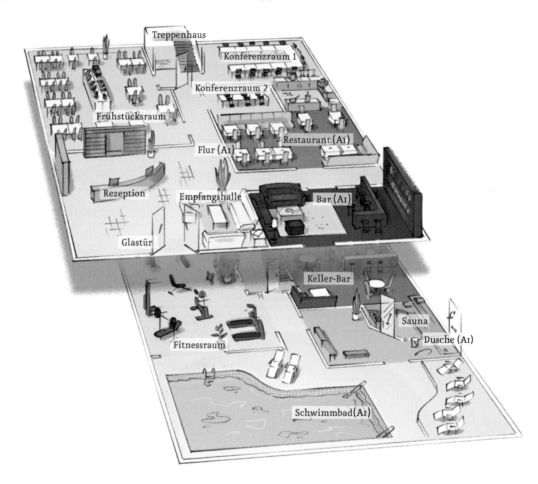

7

| das Kursgebäude, - | Beschreiben Sie einen Weg durch das Kursgebäude. | building where a course takes place |

LERNZIELE

| gegenüber (von) | Die Sauna liegt gegenüber vom Schwimmbad. | opposite (of) |

Lektion 17: Wir wollen nach Rumänien.

2

der Urlaubsort, -e	Ich verreise gern mit dem Flugzeug, weil ich gern schnell am Urlaubsort bin.	holiday spot

BILDLEXIKON

die Abfahrt, -en	Gleich nach unserer Abfahrt haben wir eine Reifenpanne.	departure
die Ankunft, ⸚e	Bei der Ankunft im Hotel sind die beiden oft müde.	arrival
die Autobahn, -en	In Deutschland und Österreich benutzen wir noch viel die Autobahn.	motorway
die Fähre, -n	Mitten in Europa so kleine Fähren!	ferry
die Kfz-Werkstatt, ⸚en	Zum Glück finden wir schnell eine Tankstelle mit Kfz-Werkstatt.	garage, car service station
der Reifen, -	Felix wechselt seinen Reifen.	tyre
die Reifenpanne, -n	Gleich nach unserer Abfahrt haben wir eine Reifenpanne.	puncture
tanken	Ich tanke.	to refuel
die Tankstelle, -n	Zum Glück finden wir schnell eine Tankstelle.	petrol station

der Bus, -se (A1)

die Fähre, -n

das Flugzeug, -e (A1)

das Motorrad, ⸚er (A1)

das Schiff, -e

das Taxi, -s (A1)

der Zug, ⸚e (A1)

der Wagen, - / das Auto, -s (A1)

VERKEHRSMITTEL

4

der Asphalt (Sg.)	Nur die großen Straßen haben hier Asphalt.	tarmac
der Auswahlkasten, ⸚	Lösen Sie die Aufgabe ohne Auswahlkasten.	selection box
die Donau	Wir überqueren fünfmal die Donau.	Danube
duschen	Wir duschen und ruhen uns aus.	to shower
das Feld, -er	Auf dem Feld wird noch gearbeitet wie früher.	field
der Friedhof, ⸚e	So sollten unsere Friedhöfe auch aussehen.	cemetery
das Gebirge, -	Ich möchte im Urlaub ins Gebirge.	mountain range, mountains (pl.)

der Geldschein, -e	Er hat einen Geldschein bekommen.	banknote
die Grenze, -n	Das Dorf ist ganz in der Nähe der ukrainischen Grenze.	border
hinein·passen	Am Ende passt nur noch ein Motorrad hinein.	to fit into
das Holzkreuz, -e	Das Dorf hat einen weltberühmten Friedhof mit vielen bunten Holzkreuzen.	wooden cross
Hoppla!	Hoppla! Da liegt Simone plötzlich auf der Seite.	Oops!
die Kassette, -n	Jemand hat auch Kassetten mit rumänischer Musik angeboten.	audio cassette
der / das Kaugummi, - oder -s	Er hat als Wechselgeld zwei Kaugummis bekommen.	chewing gum
keiner	Wenn wir abends sauber zum Essen gehen, erkennt uns keiner wieder.	no one, nobody, none
die Küste, -n	Ich würde lieber an die Nordseeküste fahren.	coast
die Münze, -n	Er hat als Wechselgeld eine Münze bekommen.	coin
niemand	jemand ↔ niemand	nobody
das Pärchen, -	Wir sind ein Pärchen aus München.	couple
das Pferd, -e	Auf dem Feld wird noch ohne Maschinen gearbeitet, nur mit Pferden.	horse
romantisch	Das sieht romantisch aus, ist aber harte Arbeit.	romantic
(das) Rumänien	Diesmal wollen wir bis ans Schwarze Meer, nach Rumänien.	Romania
das Schwarze Meer	Felix und Simone wollen mit dem Motorrad ans Schwarze Meer fahren.	Black Sea
überqueren	Wir überqueren fünfmal die Donau.	to cross
ukrainisch	Das Dorf ist ganz in der Nähe der ukrainischen Grenze.	Ukrainian
vorsichtig	Auf den Straßen in Rumänien muss man vorsichtig fahren.	careful
das Wechselgeld (Sg.)	Und stellt euch vor, was er als Wechselgeld bekommen hat: ...!	change
die Wüste, -n	Ich war noch nie in einer Wüste.	desert

> **TIPP** Suchen Sie ein Wort. Bilden Sie aus den Buchstaben einen Satz.
>
> Insel
> Im November singt er Lieder.

5

| die Sandstraße, -n | Es gibt noch Sandstraßen in Europa. | sand track |
| unangenehm | Ist das nicht unangenehm? | unpleasant |

6

| beschriften | Sie erhalten vier kleine Zettel und beschriften sie. | to label |
| (das) Brasilien | Wir sind nach Brasilien gefahren. | Brazil |

der Busfahrer, - / die Busfahrerin, -nen	*ein glücklicher Busfahrer*	bus driver
ein·sammeln	*Sammeln Sie die Zettel ein.*	to collect
erhalten	*Sie erhalten vier kleine Zettel.*	to receive
die Geschichten-Lotterie, -n	*Geschichten-Lotterie: Ziehen Sie einen Ort, eine Zeit und zwei Personen.*	story-lottery
die Kleingruppe, -n	*Arbeiten Sie in Kleingruppen.*	small group
die Semesterferien (Pl.)	*eine Zeit: z.B. Semesterferien*	semester break

LERNZIELE

ärgerlich	*Das ist wirklich ärgerlich!*	annoying
kommentieren	*etwas kommentieren: Das ist wirklich ärgerlich!*	to comment
die Reisegewohnheit, -en	*über Reisegewohnheiten sprechen: Wir fahren immer ans Meer.*	travel habit
das Reisetagebuch, ̈er	*Überfliegen Sie das Reisetagebuch.*	travel diary

Lektion 18: Ich freue mich auf Sonne und Wärme.

2

der Sommertyp, -en	*Sind Sie ein Sommer- oder Wintertyp?*	summer type
der Wintertyp, -en	*Der Wintertyp mag Schnee.*	winter type

BILDLEXIKON

feucht	*Tiefdruckgebiete bringen feuchte Meeresluft mit vielen Niederschlägen.*	damp
der Frost, ̈e	*Dauerfrost kommt fast immer mit dem Ostwind zu uns.*	frost
der Hagel (Sg.)	*Hagel ist typisch an unserem Wohnort.*	hail
das Hoch, -s	*Aus dem Osten kommen oft Hochdruckgebiete (Hochs).*	high, anticyclone
die Kälte (Sg.)	*Der Mann freut sich über die Kälte.*	cold
der Niederschlag, ̈e	*Tiefdruckgebiete bringen feuchte Meeresluft mit vielen Niederschlägen.*	precipitation
der Schauer, -	*Im Herbst sind viele Schauer typisch.*	(rain) shower
das Tief, -s	*Tiefdruckgebiete (Tiefs) kommen meist aus dem Westen.*	low, cyclone
trocken	*Es ist trocken.*	dry
die Wärme (Sg.)	*Ich freue mich auf Sonne, auf Wärme, auf den Sommer.*	warmth

> **TIPP** Lernen Sie Nomen und Adjektiv zusammen.

die Hitze – heiß

die Kälte – kalt

3

Quatsch!	Quatsch! Ich habe vom Winter geträumt.	Nuts!
der Sommertag, -e	Sind Sie zufrieden mit diesem schönen Sommertag?	summer day
träumen (von)	Quatsch! Ich habe vom Winter geträumt.	to dream (of)
der Wintersport (Sg.)	Ich interessiere mich nicht für Wintersport.	winter sport

4

darüber	*Über den Schnee! Darüber ärgere ich mich.*	*about it/that*
das Gegenteil (Sg.)	*Im Gegenteil: Ich ärgere mich darüber.*	*opposite*
womit	*Womit sind Sie zufrieden?*	*with what*
wovon	*Wovon träumst du?*	*from what*

5

andauernd	*Länger andauernde Kälte kommt fast immer mit dem Ostwind zu uns.*	*continuous*
der Dauerfrost (Sg.)	*Auch Dauerfrost kommt aus dem Osten.*	*permanent frost*
eisig	*Kälte mit eisigen Temperaturen sind für diese Jahreszeit typisch.*	*icy*
das Hauptstadtwetter (Sg.)	das Hauptstadtwetter in Bern	weather in the capital
die Hitzeperiode, -n	*Hitzeperioden mit 30°C und mehr kommen mit dem Ostwind zu uns.*	*heat wave*
das Hochdruckgebiet, -e	*Aus dem Osten kommen stabile Hochdruckgebiete mit Trockenheit.*	*anticyclone*
die Jahrestemperatur, -en	*In welcher Hauptstadt ist die durchschnittliche Jahrestemperatur am niedrigsten?*	*average annual temperature*
die Meeresluft (Sg.)	Tiefdruckgebiete bringen feuchte Meeresluft mit vielen Niederschlägen.	sea air
mittler-	mittlere Temperaturen	average
niedrig	Die Temperaturen sind nicht niedriger als 0°C.	low
der Ostwind, -e	Der Ostwind bringt stabile Hitzeperioden.	easterly wind
der Regentropfen, -	Wenn Regentropfen oder Schneeflocken fallen, ist oft Westwind im Spiel.	rain drop
die Schneeflocke, -n	*Wenn Regentropfen oder Schneeflocken fallen, ist oft Westwind im Spiel.*	*snowflake*
stabil	*Der Ostwind bringt stabile Hitzeperioden.*	*stable*
das Tiefdruckgebiet, -e	*Tiefdruckgebiete (Tiefs) kommen meist aus dem Westen.*	*cyclone*
die Trockenheit (Sg.)	*Aus dem Osten kommen stabile Hochdruckgebiete mit Trockenheit.*	*drought*
der Westwind, -e	Wenn Regentropfen oder Schneeflocken fallen, ist oft Westwind im Spiel.	westerly wind

die Wetterkarte, -n	Sehen Sie die Wetterkarten an.	weather chart
die Technik, -en	Mich fasziniert die Verbindung von Wissen-schaft und Technik.	technology

die Sonne (A1)

der Hagel

der Nebel (A1)

der Regen (A1)

der Wind, -e (A1)

die Wolke, -n (A1)

der Schnee (A1)

das Gewitter, - (A1)

das Eis

WETTER

6

stürmisch	Es ist stürmisch.	stormy
unzufrieden	Womit bist du unzufrieden?	discontented

7

der Kontinent, -e	Die anderen raten den Kontinent, das Land und die Stadt.	continent
die Meerjungfrau, -en	In der Stadt gibt es viele Sehenswürdigkeiten, z.B. die kleine Meerjungfrau.	mermaid

LERNZIELE

interessieren (sich)	Ich interessiere mich für Wintersport.	to be interested in
das Präpositionaladverb, -ien	Präpositionaladverb: Worauf ...?	pronominal adverb
worauf	„Worauf" ist ein Präpositionaladverb.	What ... for, what ... on

MODUL-PLUS LESEMAGAZIN

1

angenehm	Wir sorgen dafür, dass Ihr Aufenthalt so angenehm wie möglich wird.	enjoyable
erkunden	Mit unseren Kreuzfahrtschiffen erkunden Sie traumhafte Städte am Rhein.	to explore
der Komfort (Sg.)	Auf unseren Kreuzfahrtschiffen genießen Sie den vollen Komfort.	comfort
die Kreuzfahrt, -en	eine Kreuzfahrt entlang des Rheins	cruise

das Kreuzfahrtschiff, -e	Mit unseren Kreuzfahrtschiffen erkunden Sie traumhafte Städte am Rhein.	cruise ship
kulinarisch	Probieren Sie kulinarische Spezialitäten.	culinary
die Loreley	Gemeinsam besuchen wir die Loreley.	Loreley (famous rock on the eastern bank of the Rhine)
der / die Reisende, -n	Welche Angebote können die Reisenden nutzen?	traveller
das Rhein-Gebiet	Das Rhein-Gebiet ist zu jeder Jahreszeit schön.	Rhine-area
die Römerstadt, ⸚e	Der längste Fluss Deutschlands führt vorbei an alten Römerstädten wie Köln und Speyer.	Roman town
traumhaft	Mit unseren Kreuzfahrtschiffen erkunden Sie traumhafte Städte am Rhein.	divine, heavenly
unvergesslich	Wir sorgen dafür, dass Ihr Aufenthalt unvergesslich wird.	unforgettable
das Weinanbaugebiet, -e	Wir fahren mitten durch ein typisch deutsches Weinanbaugebiet.	wine-growing area
der Weinberg, -e	Wir fahren an grünen Weinbergen entlang.	vineyard

2

die Flusskreuzfahrt, -en	Wäre eine Flusskreuzfahrt etwas für Sie?	river cruise

MODUL-PLUS FILM-STATIONEN

1

die Boutique	Melanie und Lena kaufen in einer Boutique ein.	boutique
die Einkaufsgewohnheit, -en	Welche Einkaufsgewohnheiten haben Sie?	shopping habit
shoppen	Ich gehe gern shoppen.	to shop

2

der Hochzeitstag, -e	Melanie hat ihren ersten Hochzeitstag noch nicht geplant.	wedding anniversary
die Pension, -en	Lena ruft bei einer Pension in den Bergen an.	guesthouse
die Wochenendreise, -n	Ich möchte ihn mit einer Wochenendreise überraschen.	weekend trip

MODUL-PLUS PROJEKT LANDESKUNDE

1

die Durchschnittstemperatur, -en	Die Durchschnittstemperaturen liegen im Norden im Sommer bei 17°C.	average temperature
der Durchschnittswert, -e	Doch das Wetter hält sich oft nicht an die Durchschnittswerte.	mean, average
die Sommersaison, -s	In den Alpen dauert die Sommersaison vier Monate.	summer season

der Wetterrekord, -e	Hier einige Wetterrekorde in der Schweiz: …	weather record
die Wetterzone, -n	Die Alpen teilen die Schweiz in zwei Wetterzonen.	weather zone
die Wintersaison, -s	Die Wintersaison beginnt Mitte Dezember.	winter season

2

das Lieblingsland, ⸚er	Wie ist das Wetter in Ihrem Lieblingsland?	favourite country

MODUL-PLUS AUSKLANG

1

das Freizeitland (Sg.)	Da fahren Sie dann nach links bis zum „Freizeitland".	leisure park
der Golfplatz, ⸚e	Sie fahren jetzt hier am Golfplatz vorbei.	golf course
hin: hin sein	Mein Navigator ist hin.	broken: to be broken
der Sinn, -e	Das hat keinen Sinn.	sense
die Sonnencreme, -s	Ich habe Handtuch, Badehose, Sonnencreme.	sun lotion

Grammar Explanations

Lektion 16: Darf ich fragen, ob …?

Indirect questions

Indirect questions are often used to make the sentence sound more polite. They can include a closed question (*Ja/Nein-Frage*) or an open one (*W-Frage*).

Closed questions are formed with the conjunction **ob** and **open questions** with the **interrogative particle** (*W-question tag*). In both questions, the verb in the subordinate clause is placed at the very end of the sentence.

Darf ich fragen, **ob** Herr Bauer ein Hotelzimmer **braucht**?

May I ask if Mr Bauer needs a hotel room?

Können Sie mir sagen, **wann** genau die Konferenz **beginnt**?

Can you please tell me when the conference starts?

Local prepositions gegenüber von *and* an … vorbei

Local prepositions show the relationship of one place, person or thing to another.

Gegenüber von is used to express *opposite (to) / across from / on the other side of*. It requires the **dative case**.

Die Sauna ist **gegenüber vom** Schwimmbad.   *The sauna is opposite the swimming pool.*

An … vorbei means: *go past somebody or something*. **An … vorbei** takes the **dative** case. The location is placed **in the middle** of the word combination.

Gehen Sie **am** Frühstücksraum **vorbei**.   *Go past the breakfast room.*

Contraction of prepositions and definite articles

Both prepositions **von** and **an** can **contract** with the **definite masculine** and **neutral** article in the **dative case**:

an + dem → am
von + dem → vom

Local preposition durch

The preposition **durch** (*through*) always requires the **accusative case**.

Gehen Sie **durch die** Glastür und dann links.   *Go through the glass door and then left.*

Lektion 17: Wir wollen nach Rumänien.

Local prepositions an, in, auf, nach

Local prepositions can be used to indicate place, direction and movement. Many of them are two-way prepositions. That means they can take either the **dative** or the **accusative** case, depending on the question they answer.

If they answer the question **Wohin?** (*Where to?*), they require the **accusative case**.

Wir fahren...   (We are going...)

ans (an das) Meer	to the seaside
an die Küste	to the coast
an den See	to the lake
an den Strand	to the beach
auf eine Insel	to an island
aufs (auf das) Land	to the countryside
in die Wüste	to the desert
in die Berge / ins Gebirge	to the mountains
in den Wald	to the forest
in den Süden	to the south
in die Schweiz	to Switzerland
in den Irak	to Iraq

If they answer the question **Wo?** (*Where?*), they require the **dative case**.

Wir sind...   (We are...)

am (an dem) Meer	at the seaside
an der Küste	on the coast
am (an dem) See	at the lake
am (an dem) Strand	on the beach
auf einer Insel	on an island
auf dem Land	in the countryside
in der Wüste	in the desert
in den Bergen / im Gebirge	in the mountains
im (in dem) Wald	in the forest
im (in dem) Süden	in the south
in der Schweiz	in Switzerland
im Irak (in dem)	in Iraq
in Deutschland / in Berlin	in Germany, in Berlin (case not visible, article not used!)

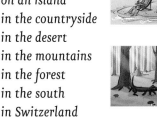

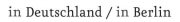

The preposition **nach** is used with **countries and cities**. **Nach** is not a two-way preposition and always requires the **dative case**.

Wir fahren **nach** Deutschland, zuerst **nach** Köln und dann **nach** Berlin.

We are going to Germany, first to Cologne and then to Berlin.

Grammar Explanations

Lektion 18: Ich freue mich auf Sonne und Wärme.

Verbs with prepositions

Many verbs require certain prepositions in order to form phrases. The verb (together with the preposition) rules the case.

The case following **two-way prepositions** is not obvious because it can't be decided by answering any questions here. Most of them take the **accusative case** but not all. The best way to learn the combinations is to memorize and practice them: verb + preposition + case + meaning of the whole phrase.

sprechen über + Akk.	*to speak / to talk about sth./so.*
Sie sprechen immer über das Wetter.	*They always talk about the weather.*
sich freuen auf + Akk.	*to look forward to sth.*
Ich freue mich auf meinen Urlaub im Sommer.	*I am looking forward to my holidays in summer.*
sich ärgern über + Akk.	*to be annoyed with / angry with / at sth. or so.*
Ich ärgere mich sehr oft über meine kleine Schwester.	*I am often angry with my little sister.*
Lust haben auf + Akk.	*to feel like doing sth. / to be in the mood for sth.*
Ich habe Lust auf ein großes Eis!	*I feel like eating a big ice cream.*
sich interessieren für + Akk.	*to be interested in*
Ich interessiere mich für klassische Musik.	*I am interested in classical music.*
zufrieden sein mit + Dat.	*to be content with / to be satisfied or pleased with*
Ich bin mit dem Hotelservice sehr zufrieden.	*I am very satisfied with the hotel service.*
sprechen mit + Dat.	*to talk to so.*
Warum sprichst du nicht mit ihm?	*Why don't you talk to him?*
träumen von + Dat.	*to dream about / of so. or sth.*
Ich träume vom Schnee im Dezember!	*I am dreaming of snow in December!*

Prepositional adverbs and questions

Prepositional adverbs (also known as pronominal adverbs) are composed of the **adverb da-** (for statements) or **wo-** (for questions) and a **preposition**.

If the adverb is combined with a preposition that starts with a **vowel**, there is an "r" added between them. Prepositional adverbs are very often used as verb-preposition phrases.

Wo + r + auf → Worauf ...?	
Worauf freust du dich!	*What are you looking forward to?*
Da + r + auf → Darauf ...	
Darauf freue ich mich gar nicht!	*I am not looking forward to it at all!*
Wo + mit → Womit ...?	*with what?*
Womit bist du nicht zufrieden?	*With what are you not satisfied?*
Da + mit → Damit ...	*with that*
Ich bin **damit** nicht zufrieden!	*I am not pleased with that!*

Other examples of prepositional adverbs that can be used as verb-preposition phrases are:

Worüber ärgerst du dich oft?	*With what are you often annoyed?*
Ich **ärgere** mich oft über Politik! **Darüber** ärgere ich mich eigentlich jeden Tag!	*I am often annoyed with politics! Actually, I am annoyed with that every day!*
Wofür interessierst du dich? Ich interessiere mich **für** deutsche Kultur. **Dafür** interessiere ich mich schon lange.	*What are you interested in? I am interested in Germany culture. I've been interested in that for a long time.*

Preposition and person

The **prepositional adverbs** built with **da-** and **wo-** refer **only to things**, they can't be used with a person. The right **preposition** and the **personal pronoun** in the right case have to be used for talking about someone.

Von wem träumt Manuela? Sie träumt **von** Markus! Sie träumt schon lange **von ihm**!	*Who ist Manuela dreaming about? She's dreaming about Markus! She's been dreaming about him for a long time!*
Mit wem sind Sie zufrieden? Ich bin **mit** der neuen Sekretärin zufrieden. **Mit ihr** bin ich wirklich sehr zufrieden.	*With whom are you pleased? I am pleased with the new secretary. I am really very pleased with her.*

Cultural Studies

The Austrian lakes

Austria is world-famous for being an excellent skiing destination. Winter sports tourism plays an important role in Austria's service sector which has one of the highest per capita tourism revenues worldwide. Most tourists come from Europe, especially Germany, the Netherlands and Great Britain. As Austria is largely a very mountainous country with the great majority of the land being the Austrian Alps, the main tourist attractions are skiing in winter and hiking in summer. A lesser-known fact is that Austria has a great number of beautiful lakes to offer, over 300 in total, and most of them are warm enough for bathing in summer.

Carinthia (*Kärnten*) in particular, the southern-most of the nine Austrian *Bundesländer* (*Bundesland* = "federal state") situated in the Eastern Alps, is well-known for its warm bathing lakes. The continental climate with mostly hot summers and the high amount of sunshine hours make it a trendy summer holiday destination.

Ossiacher See, Faaker See and Millstätter See, to name a small number, are all popular tourist attractions but without a doubt the most famous lake in Carinthia is the Wörther See. Not only is it the venue of the renowned endurance competition "Ironman Austria", it is also the largest lake in the southern-most state with a surface area of 19.39 km². Average water temperatures are between 25°C – 27°C in the hottest months of the year which makes it an ideal bathing and water sports location.

The area with the most lakes is the Salzkammergut area, a tourist magnet for over 100 years, with parts of it being a protected UNESCO world heritage site. Attersee, Traunsee, Wolfgangsee and Mondsee must be among the most famous lakes in this area, all well-known for their beauty but also for hiking trips.

Tyrol, often called the heart of the Alps, is home to Austria's largest mountain lake, the Achensee. It is cooler in water temperature than the average Austrian lake due to its mountainous location but nonetheless still popular with tourists, especially for water sport lovers such as windsurfers, scuba divers and sailors. The surrounding Karwendel and Rofan mountain ranges offer spectacular scenery and Achensee is often called "The Fjord of the Alps".

Lake Neusiedl lies in Burgenland, the eastern-most *Bundesland* of Austria. Part of the lake is also located in Hungary, approximately 75 km² of a total of 315 km². Lake Neusiedl, a shallow steppe lake, is no deeper than 2 meters at most and in 2001 it was declared a UNESCO world heritage site.

Due to its position, Alpine, Pannonian and Mediterranean flora and fauna can be found which makes it a paradise for nature lovers. The surrounding reeds provide ideal nesting conditions for rare species of birds and it is a popular resting place for migratory birds.

The Swiss Alps

The Alps, the famous European mountain range, span approximately 1,200 km across eight European countries, including Switzerland which covers around 14% of the Alps total area. Switzerland's surface is covered by more than two thirds of the Alps at an average height of 1,700 m and they play an enormous role in the Swiss identity.

Not only do the Alps provide a continental water shed, they also have a huge influence on the climate and vegetation in this Alpine country. The snow line begins at approximately 2,700 meters but, of course, it varies according to the time of the year.

Close to the Swiss-Italian border lies the Monte Rosa, meaning "Pink Mountain", the highest summit in the Swiss Alps at 4,634 meters above sea level. In total, there are 48 mountains over 4,000 meters located in the Swiss Alps, meaning that more than half of the alpine mountains higher than 4,000 meters are on Swiss ground. Surely it is no surprise that 60% of Swiss tourism is concentrated in the mountain area.

Many alpine lovers visit Switzerland each year for the mountains with the iconic north faces, among them the legendary North Faces of the Eiger and the Matterhorn, the main attraction for hikers and climbers from all over the world.

Swiss alpine tourism started as early as 1811 with the ascents of some of the highest peaks. Some of the first foreigners attempting to reach the summits were British climbers; generally they called on the expertise of local mountaineering guides. In the mid 19th century, mountain tourism became mainstream and the first hotels and mountain huts were built. Around the same time, construction of the first mountain train lines and cable cars began making high peaks easily accessible for everyone without the strenuous climb for many hours – if not days. The Jungfrau railway (*Jungfraubahn*) that opened in 1912 is an impressive journey to Europe's highest altitude railway station located at 3,454 meters above sea level.

The Black Forest — a wooded mountain range in Germany

The Black Forest (*Schwarzwald*) is located in the southwest of Germany in the federal state of Baden-Württemberg. The Romans, who had come north to conquer the Germanic tribes during the first century A.D., gave the area its name *Silva Nigra* meaning black or dark forest. They were referring to the forested hills and mountains and the dense, gloomy woodlands that were nearly impossible to pass. It was a dark and dangerous place then whereas nowadays, the *Schwarzwald* is one of the most popular tourist areas in Germany.

Many people are surprised to learn that the Black Forest region is actually only 150 km long and 50 km wide – a very small area of land that is incredibly famous. It is laden with vineyards, charming villages, small towns, scenic drives, old monasteries, hidden ruins, castles and beautiful old houses. In summer, the trails for hiking and mountain biking seem endless and when the temperature drops the skiing and snow adventures begin for winter. The picturesque surrounds, rich culture and concentration of spa-towns make this area attractive to a wide audience.

The Black Forest name has become internationally known due to the popularity of the famous *Schwarzwälder Kirschtorte* or Black Forest cake. A delicious local delicacy comprised of chocolate sponge drenched in dark cherry liquor layered with whipped cream and stewed cherries that adorns dessert menus in all corners of the globe.

Another important export from this region is the cuckoo clock. They are said to originate in this small region. This is no surprise considering the dark forests yield some beautiful and incredibly old timbers and the fact that farmers in the region have many spare hours in the dark, cold winters. Over 300 years ago, farmers started hand making these celebrated wooden clocks and due to the high level of craftsmanship, the farmer's reputation quickly spread. Cuckoo clocks are now a craft industry in this region and visitors can even visit tourist attractions featuring the biggest clocks, biggest collections, etc.

Lektion 19: Wohin gehen wir heute?

1

die Konzerthalle, -n	Wo ist Sascha? In einer Konzerthalle?	concert hall
vor·tragen	*Er trägt ein Gedicht vor.*	to recite

2

ausgezeichnet	Die Schauspieler waren ausgezeichnet.	excellent

aus|ge|zeich|net [ˈaʊsɡətsaiçnət] ⟨Adj.⟩: *sehr gut, hervorragend:* ausgezeichnete Zeugnisse; sie ist eine ausgezeichnete Lehrerin; er spielt ausgezeichnet Geige. *Syn.:* exzellent, klasse (ugs.), prima (ugs.), toll (ugs.), unübertrefflich.

BILDLEXIKON

das Ballett, -e	*Sie gehen ins Ballett.*	*ballet*
der Fotoworkshop, -s	*Ein Fotoworkshop lohnt sich bestimmt.*	*photo workshop*
das Musical, -s	*Ein Musical ist doch wirklich mal etwas Besonderes.*	*musical*
die Oper, -n	*Wenn Sie klassische Musik und Theater mögen, ist eine Oper genau das Richtige für Sie.*	*opera*
der Poetry Slam, -s	*Für den Poetry Slam im Café Kurt gibt es noch Karten.*	*poetry slam*
das Puppentheater, -	Wollen wir zusammen ins Puppentheater gehen?	puppet theatre
der Stadtspaziergang, ⸚e	Stadtspaziergang: Berühmte Münchner – wo haben sie gearbeitet und wie haben sie gelebt?	city walk
die Vernissage, -n	*Eine Vernissage? Also, ich weiß nicht.*	*vernissage (preview of an art exhibition)*
der Zirkus, -se	*Im Zirkus können Sie Clowns und Artisten sehen.*	*circus*

die Oper, -n

die Lesung, -en

das Ballett, -e

das Musical, -s

die Vernissage, -n

der Poetry Slam, -s

der Zirkus, -se

das Puppentheater, -

das Konzert, -e (A1)

KULTURELLE VERANSTALTUNGEN

3

an·hören (sich)	*Hört sich ja nicht so toll an …*	to sound
die Jury, -s	*Eine Jury stimmt über den besten Text ab.*	jury
das Publikum (Sg.)	*Das Publikum stimmt über den besten Text ab.*	audience
recht: recht haben	*Jana meint, dass Pit recht hat.*	right: to be right

5

der Artist, -en / die Artistin, -nen	*Im Zirkus können Sie Clowns und Artisten sehen.*	artist
der Clown, -s	*Im Zirkus können Sie Clowns und Artisten sehen.*	clown
eröffnen	*Wenn eine Ausstellung eröffnet wird, dann nennt man das eine Vernissage.*	to open
der Aperol Sprizz	*Und zur Einweihung gibt es für jeden einen Aperol Sprizz!*	Aperol spritz
ausverkauft (sein)	*Wohin, wenn alles ausverkauft ist?*	(to be) sold out
(das) Bayerisch	*Lust auf Italienisch oder Bayerisch?*	Bavarian
die Einweihung, -en	*Und zur Einweihung gibt es für jeden einen Aperol Sprizz!*	inauguration
der Knödel, -	*Bei Angelo und Vroni gibt es sowohl Pizza als auch Knödel.*	dumpling
die Kunsthalle, -n	*Kunsthistorikerin Georgia Huber führt heute noch einmal durch die Kunsthalle.*	art gallery
der Kunsthistoriker, - / die Kunsthistorikerin, -nen	*Kunsthistorikerin Georgia Huber führt heute noch einmal durch die Kunsthalle.*	art historian
die Neueröffnung, -en	*Neueröffnung bei Angelo & Vroni*	new opening
die Partymeile, -n	*Der beliebte Club liegt auf der Partymeile zwischen Stachus und Sendlinger Tor.*	party zone
die Piano-Bar, -s	*Michael Hornstein spielt heute in der Piano-Bar.*	piano bar
der Prozess, -e	*„Der Prozess" von Kafka in den Kammerspielen*	case, lawsuit
sowohl … als auch	*Bei Angelo und Vroni gibt es sowohl Pizza als auch Knödel.*	as well as
der Themen-Spaziergang, ⸚e	*Ein Themen-Spaziergang: Berühmte Münchner – wo haben sie gearbeitet und wie haben sie gelebt?*	topic-related route
verlängern	*Verlängert: Kunsthistorikerin Georgia Huber führt heute noch einmal durch die Kunsthalle.*	to extend
verpassen	*Das sollten Sie auf keinen Fall verpassen!*	to miss
die Vorstellung, -en	*Heute ist die letzte Vorstellung von Franz Kafkas „Der Prozess".*	performance

6

hin·gehen	Lass uns da hingehen.	to go there
kostenlos	Der Eintritt ist kostenlos.	free of charge
lohnen (sich)	Das lohnt sich bestimmt.	to be worthwhile
neugierig	Bist du denn gar nicht neugierig?	curious
probieren	Probier das doch mal.	to try
unternehmen (etwas)	Sie möchten etwas unternehmen.	to undertake
wahr	Das ist wahr.	true
weg·gehen	Wollen wir zusammen weggehen?	to go out

LERNZIELE

begeistern	*jemanden begeistern/überzeugen: Glaub mir. Das ist mal etwas anderes.*	to thrill, to enthuse
überzeugen	*jemanden begeistern/überzeugen: Glaub mir. Das ist mal etwas anderes.*	to convince
zögern	*auf Vorschläge zögernd reagieren: Und das ist gut?*	to hesitate

Lektion 20: Ich durfte eigentlich keine Comics lesen.

1

der Leseort,-e	Leseorte: Wo lesen Sie?	reading place
der Lieblingssessel, -	Ich lese am liebsten zu Hause in meinem Lieblingssessel.	reading chair

BILDLEXIKON

der/das Comic, -s	*Ich durfte eigentlich keine Comics lesen.*	comic
das Bilderbuch, ⸚er	Als ich noch nicht selber lesen konnte, habe ich mir gern Bilderbücher angeschaut.	picture book
das Hörbuch, ⸚	Mein Vater hat mir ein Hörbuch gekauft.	audio book
das Kinderbuch, ⸚er	Eines ihrer besten Kinderbücher ist der „Gurkenkönig".	children's book
das Märchen, -	Janosch hat die alten Märchen verändert.	fairy tale
das Sachbuch, ⸚er	*Ich habe sogar Sachbücher gelesen.*	*nonfiction, factual book*

der Comic, -s

 der Roman, -e

 der Krimi, -s

 die Zeitung, -en

 die Zeitschrift, -en

 das Gedicht, -e

 der Ratgeber, -

 das Sachbuch, ⸚er

 das Märchen, -

 das Hörbuch, ⸚er

 das Kinderbuch, ⸚er

 das Bilderbuch, ⸚er

BÜCHER

3

der/das Asterix-Comic, -s	Am liebsten habe ich Asterix-Comics gelesen.	Asterix comic
das Asterixheft, -e	Erst Jahre später hat meine Mutter auch mal ein Asterixheft gelesen.	Asterix comic book
der Band, ⸚e	Am besten ist der 16. Band der Comic-Reihe.	number
bedienen	Er lässt sich bedienen.	to serve
der Befehl, -e	Er gibt dauernd Befehle.	order
die Bettdecke, -n	Ich habe heimlich unter der Bettdecke gelesen.	duvet
die Comic-Reihe, -n	Am besten ist der 16. Band der Comic-Reihe.	comic series (pl.)
elektrisch	Zum Beispiel gibt es bei Janosch ein elektrisches Rotkäppchen.	electrical
entkommen	Mit meinen Büchern wollte ich dem langweiligen Schulalltag entkommen.	to escape
der Geißenpeter	Natürlich war ich in den „Geißenpeter" verliebt.	shepherd boy looking after the goats in the famous Swiss novel "Heidi"
der Gurkenkönig, -e	Eines ihrer besten Kinderbücher ist der „Gurkenkönig".	cucumber king (title of book by Christine Nöstlinger)
heimlich	Ich habe heimlich unter der Bettdecke gelesen.	secret
das Kartoffelwesen, -	Der Gurkenkönig ist ein seltsames Kartoffelwesen.	potato creature
der Kessel, -	„Bringt den Kessel mit dem geschmolzenen Käse!"	cauldron
die Kindheit (Sg.)	Fast jeder hat mindestens ein Kinderbuch, das ihn durch die Kindheit begleitet hat.	childhood
die Kurzgeschichte, -n	Ich habe eigentlich alles gelesen. Gedichte, Kurzgeschichten und die Zeitung von meinem Vater.	short story
(das) Latein	Sogar Latein hat mir plötzlich Spaß gemacht.	Latin

das Mädchenbuch, ¨er	Typische Mädchenbücher über Liebe oder Pferde mochte ich gar nicht.	book for girls
das Märchenbuch, ¨er	Mein Lieblingsbuch war das Märchenbuch von Janosch.	book of fairytales
österreichisch	Sie ist eine österreichische Autorin.	Austrian
das Rotkäppchen	*Das elektronische Rotkäppchen ist total lustig.*	*Little Red Riding Hood*
schmelzen	*„Bringt den Kessel mit dem geschmolzenen Käse!"*	*to melt*
der Schulalltag (Sg.)	Mit meinen Büchern wollte ich dem langweiligen Schulalltag entkommen.	school routine
das Schulbuch, ¨er	Nur Schulbücher habe ich nicht gerne gelesen.	school book
der Schweizer, - / die Schweizerin, -nen	„Asterix bei den Schweizern" ist der beste Asterix-Comic.	Swiss people
die Taschenlampe, -n	Ich habe mit einer Taschenlampe unter der Bettdecke gelesen.	torch
der Teddy, -s	*Fast jeder hat ein Kinderbuch, das ihn durch die Kindheit begleitet hat, wie der geliebte Teddy.*	*teddy bear*
verfilmen	*„Heidi" wurde später oft verfilmt.*	*to make a film (of sth.)*
wegen	*Wegen Heidi gehe ich noch heute gern in die Berge.*	*because of*
zitieren	*Noch heute wird bei jedem Käsefondue daraus zitiert.*	*to quote*
zu·geben	*Sie musste zugeben, dass das auch Literatur ist.*	*to admit*
das Fantasiewesen, -	*Gut gefallen mir fantastische Geschichten mit Fantasie-wesen.*	*fantasy character*
fantastisch	*Gut gefallen mir fantastische Geschichten mit Fantasie-wesen.*	*fantastic*

4

| beeilen (sich) | Musstest du dich morgens immer beeilen? | to hurry |

6

(das) Alzheimer	*Man erfährt viel über die Krankheit Alzheimer.*	*Alzheimer's*
der Buchtipp, -s	Lesen Sie die Buchtipps der anderen Teilnehmer.	book tip
die Empfehlung, -en	*Schreiben Sie nun eine Empfehlung.*	*recommendation*
die Hauptrolle, -n	Gérard Depardieu spielt die Hauptrolle.	lead, leading part

TIPP
Suchen und notieren Sie jeden Tag
Ihre persönliche Vokabel des Tages.

Datum	Wort des Tages	Wo gefunden?	Beispiel
11.12	Profi	Krimi	„Man muss kein Profi sein, aber ..."
12.12	ehrlich	Zeitung	„Aber ehrlich gesagt, wer hat ..."

das Desinteresse (Sg.)	*Desinteresse ausdrücken: Das interessiert mich überhaupt nicht.*	disinterest
die Presse (Sg.)	das Wortfeld „Presse und Bücher"	press

Lektion 21: Ja genau, den meine ich.

1

der Autounfall, ⸚e	Vielleicht hatte er einen Autounfall.	car accident
der Einbruch, ⸚e	*Vielleicht hat es einen Einbruch gegeben.*	burglary
die Feuerwehr, -en	Vielleicht ruft er die Feuerwehr an.	fire brigade
die Versicherung, -en	Oder er ruft bei seiner Versicherung an.	insurance

2

auf·brechen	*Jemand hat unser Auto aufgebrochen.*	to break into

BILDLEXIKON

der Ausweis, -e	Haben Sie Ihren Ausweis dabei?	ID card
das Bargeld (Sg.)	Wie viel Bargeld haben Sie dabei?	cash
die EC-Karte, -n	*Sind EC- oder Kreditkarten weg?*	ATM card
die Gesundheitskarte, -n	Ich habe meine Gesunheitskarte nie dabei.	health card
die Kundenkarte, -n	Hast du viele Kundenkarten?	loyalty card
die Telefonkarte, -n	Heute braucht man keine Telefonkarten mehr, oder?	phone card

> **TIPP** Suchen Sie lange Wörter. Welche Wörter sind darin versteckt?
> Gesundheitskarte: ein, Eis, Seite …

4

ab·sperren	Er hat das Auto abgesperrt.	to lock
die Autoscheibe, -n	*Der Mann hat die Autoscheibe eingeschlagen.*	car window
bar	In dem Geldbeutel waren 240 Euro in bar.	cash
ein·schlagen	*Der Mann hat die Autoscheibe eingeschlagen.*	to smash
der Geldbeutel, -	= die Geldbörse	wallet, purse
das Gesicht, -er	Er hatte ein schmales Gesicht.	face
der Gesprächsaus-schnitt, -e	*Lesen Sie den Gesprächsausschnitt.*	dialogue part
der Hammer, ⸚	Er hat einen Mann mit einem Hammer gesehen.	hammer
der Polizist, -en / die Polizistin, -nen	Zum Schluss zeigt die Polizistin ihm ein paar Fotos.	policeman/policewoman

schmal	Er hatte ein schmales Gesicht.	slender
stehlen	Was hat der Täter gestohlen?	to steal
der Täter, - / die Täterin, -nen	Hat Herr Abelein den Täter gesehen?	offender, delinquent
weg·laufen	*Er ist weggelaufen.*	*to run away*

das Bargeld (Sg.)

der Hammer, ⸚

das Schloss, ⸚er

der Täter, - / der Einbrecher, -

EINBRUCH

der Schmuck (Sg.)

der Zeuge, -n

der Polizist, -en / die Polizistin, -nen

5

das Alibi, -s	*Ich habe ein Alibi.*	*alibi*
die Befragung, -en	*Lesen Sie die Befragung.*	*interrogation*
ein·brechen	*Am Samstag um 16 Uhr hat jemand bei Familie Müller eingebrochen.*	*to burgle*
der / die Verdächtige, -n	*Die Polizei befragt einen Verdächtigen.*	*suspect*
voneinander	*Befragen Sie nun Person A und B getrennt voneinander.*	*from each other*
widersprechen (sich)	*Haben die beiden ein gutes Alibi oder widersprechen sie sich?*	*to contradict*
der Zeuge, -n / die Zeugin, -nen	*Gibt es dafür Zeugen?*	*witness*

6

an·fassen	*Fassen Sie nichts an!*	*to touch*
ein·bauen	*Lassen Sie ein Sicherheitsschloss in Ihre Wohnungstür einbauen.*	*to install*
der Einbrecher, - / die Einbrecherin, -nen	*Wie Sie Einbrechern das Leben schwer machen können: ...*	*burglar*
die Erdgeschoss- wohnung, -en	*Lassen Sie in Erdgeschosswohnungen alle Fenster sichern.*	*ground floor apartment*
der Fingerabdruck, -e	*Vielleicht gibt es Fingerabdrücke von den Tätern.*	*fingerprint*
die Fußmatte, -en	*Legen Sie Ihren Wohnungsschlüssel nie unter die Fußmatte.*	*doormat*
das Sicherheits- schloss, ⸚er	*Meine Fenster haben ein Sicherheitsschloss.*	*safety lock*

sichern	Lassen Sie in Erdgeschosswohnungen alle Fenster sichern.	to secure
sperren	*Lassen Sie die EC-Karte sofort sperren.*	*to block*
der Wertgegenstand, ⸚e	Ich habe eine Liste mit Wertgegenständen.	article of value
der Wohnungs-schlüssel, -	Legen Sie Ihren Wohnungsschlüssel nie unter die Fußmatte.	door key, key to the apartment
die Wohnungstür, -en	Lassen Sie ein Sicherheitsschloss in Ihre Wohnungstür einbauen.	apartment door

7

ändern	Meinen Anzug muss ich ändern lassen.	to change
ängstlich	Bei Strom bin ich ängstlich.	anxious
der Anzug, ⸚e	Änderst du deinen Anzug selbst?	suit
das Computer-programm, -e	Computerprogramme lasse ich von einem Freund installieren.	computer programme
die Glühbirne, -n	*Wechselst du Glühbirnen selbst?*	*lightbulb*
nähen	Ich kann gar nicht nähen.	to sew

8

der Babysitter, -	*Ich suche einen Babysitter.*	*babysitter*
die Tausch-Börse, -n	*Machen Sie eine Tausch-Börse.*	*swap shop*
der Tauschpartner, -	*Wer findet in fünf Minuten die meisten Tauschpartner?*	*exchange partner*

LERNZIELE

die Beschreibung, -en	*um eine Beschreibung bitten: Wo waren Sie?*	*description*
das Demonstrativ-pronomen, -	*Demonstrativpronomen: dies-, der, das, die*	*demonstrative pronoun*
das Dokument, -e	*Welche Dokumente haben Sie dabei?*	*document*
der Frageartikel, -	*Frageartikel: welch-*	*question article*

MODUL-PLUS LESEMAGAZIN

1

die Action (Sg.)	*In einem James Bond steckt einfach alles drin: Humor, Action und Spannung.*	*action*
der Actionfilm, -e	*Meine Freundin mag Actionfilme nicht so gern.*	*action movie*
albern	*Das finde ich albern.*	*silly*
aus·wählen	*Als wir das letzte Mal im Kino waren, durfte ich den Film auswählen.*	*to choose*
beschließen	Ich habe spontan beschlossen: Da gehe ich hin.	to decide
das Filmmagazin, -e	*Wir vom Filmmagazin Zelluloid wollen es genau wissen.*	*film magazine*
herum·ballern	*Es wird einfach zu viel herumgeballert.*	*to fire in all directions*

der Hum*o*r (Sg.)	In einem *James Bond* steckt einfach alles drin: Humor, Action und Spannung.	humour
der James-Bond-Fan, -s	*Ich bin nämlich ein großer James-Bond-Fan.*	James Bond fan
der James-Bond-Film, -e	*Die James-Bond-Filme verbinden Generationen.*	James Bond movie
der Kinobesuch, -e	Der Kinobesuch hat sich zum Glück gelohnt.	going to the movies
die Spannung, -en	*In einem James Bond steckt einfach alles drin: Humor, Action und Spannung.*	suspense
spontan	*Ich habe spontan beschlossen: Da gehe ich hin.*	spontaneous
ständig	*Ständig fliegt ein Auto durch die Luft.*	continuously
tragisch	*Christian musste mit mir in einen Liebesfilm mit tragischem Ende gehen.*	tragic
überleben	*Was dieser James Bond alles überlebt!*	to survive

MODUL-PLUS FILM-STATIONEN

2

die *A*bschlussarbeit,-en	*Seine Abschlussarbeit war ein Schrank.*	final paper, thesis
der Versicherungsberater, - / die Versicherungsberaterin, -nen	Christian ist Versicherungsberater von Beruf.	insurance adviser

3

die *A*utofahrt, -en	Christian erzählt von einer wunderschönen Autofahrt.	car drive
der Besitzer, - / die Besitzerin, -nen	*Woher kam der Besitzer?*	owner
die Radtour, -en	*Erzählt Christian von einer wunderschönen Radtour?*	cycle tour

MODUL-PLUS PROJEKT LANDESKUNDE

1

ehrenamtlich	*Ehrenamtlich bedeutet: Man bekommt für seine Arbeit kein Geld.*	on a voluntary basis, volunteer
die Konzentration (Sg.)	*Vorlesen ist gut für die Konzentration.*	concentration
die Kreativität (Sg.)	*Es fördert die Sprachentwicklung und die Kreativität.*	creativity
die Sprachentwicklung, -en	*Es fördert die Sprachentwicklung und die Kreativität.*	language development
die Vorlese-Initiative, -n	*Vorlese-Initiativen möchten etwas dagegen unternehmen, dass Kinder ohne Bücher aufwachsen.*	read-aloud initiative
der Vorlese-Nachmittag, -e	*Der Eintritt zu den Vorlese-Nachmittagen ist natürlich frei.*	afternoon read-aloud session
der Vorleser, - / die Vorleserin, -nen	*Mehr als 70 ehrenamtliche Vorleser und Vorleserinnen arbeiten für den Verein.*	reader
wöchentlich	*Der Verein organisiert wöchentliche Vorlese-Nachmittage.*	weekly

Grammar Explanations

Lektion 19: Wohin gehen wir heute?

Local prepositions **von, aus** *and* **bei**

Local prepositions can answer three questions:

Woher? = *Where from?*
Wo? = *Where?*
Wohin? = *Where to?*

The prepositions used to answer these questions may vary depending to what they refer to.

If the answers refer to **a place**:
Woher? → aus (+Dat.)

Woher kommst du gerade?	*Where are you coming from?*
Ich komme aus dem Theater.	*I am coming back from the theatre.*

Wo → in (+Dat.)

Wo bist du jetzt?	*Where are you now?*
Ich bin in der Küche.	*I am in the kitchen.*

Wohin? → in (+Akk.)

Wohin gehst du morgen?	*Where are you going tomorrow?*
Ich gehe ins Kino.	*I am going to the cinema.*

If the answers refer to **an activity**:
Woher? → von (+Dat.)

Woher kommt er gerade?	*Where is he coming from?*
Er kommt vom Fußball.	*He's coming from football.*

Wo? → bei (+Dat.)

Wo ist er jetzt?	*Where is he now?*
Er ist beim Essen.	*He is having lunch right now.*

Wohin? → zu (+Dat.)

Wohin geht er morgen?	*Where is he going tomorrow?*
Er geht zum Sport.	*He is going to play sports.*

If the answers refer to **a person**:
Woher? → von (+Dat.)

Woher kommt sie gerade?	*Where is she coming from?*
Sie kommt vom Arzt.	*She's coming back from the doctor.*

Wo? → bei (+Dat.)

Wo ist sie jetzt?	*Where is she now?*
Sie ist bei Anne.	*She's at Anne's.*

Wohin? → zu (+Dat.)

Wohin geht sie morgen?	*Where is she going tomorrow?*
Sie geht zu ihrer Oma.	*She is going to (visit/see) her grandma.*

Lektion 20: Ich durfte eigentlich keine Comics lesen.

Simple past tense Präteritum *of modal verbs*

The simple past tense **Präteritum** is primarily used in **written** German. However, there are a few verbs in the simple past that are used in written *and* spoken form. For example: **haben**, **sein** and all **modal verbs**.

Modal verbs have **no "Umlaut"** in their **conjugated** simple past form. Some have root changes, some not. The 1st and the 3rd person singular are always **identical**.

	Modal verbs	können	wollen	sollen
singular	ich	konnte	wollte	sollte
	du	konntest	wolltest	solltest
	er/sie	konnte	wollte	sollte
plural	wir	konnten	wollten	sollten
	ihr	konntet	wolltet	solltet
	sie/Sie	konnten	wollten	sollten

Damals **konnte** ich noch nicht **lesen**. *Back then I couldn't read yet.*
Ich **wollte** es **lernen**. *I wanted to learn it.*
Ich **sollte** aber noch **warten**. *But I was supposed to wait.*

	Modal verbs	dürfen	müssen	mögen
singular	ich	durfte	musste	mochte
	du	durftest	musstest	mochtest
	er/sie	durfte	musste	mochte
plural	wir	durften	mussten	mochten
	ihr	durfte	musstet	mochtet
	sie/Sie	durften	mussten	mochten

Mein Bruder **durfte** keine Comics **lesen**. *My brother wasn't allowed to read comics.*
Er **musste sich** unter der Bettdecke *He had to hide under the duvet.*
  verstecken.
Er **mochte** keine Märchen. *He didn't like fairy tales.*

The verb **mögen** is not used with another verb in infinitive form!

Grammar Explanations

Lektion 21: Ja genau, den meine ich.

Interrogative article welch-

The article **welch-** (*which*) is used as a question word (interrogative article). It is used with all genders and cases and needs endings to indicate them. The endings are identical or similar to the ones of the definite article.

Welcher Lehrer unterrichtet hier gerade?   *Which teacher is teaching here right now?*
Welche Schauspielerin wohnt   *Which actress lives in Frankfurt?*
   in Frankfurt?
Welches Auto gehört dir?   *Which car belongs to you?*

Demonstrative article dies-

The demonstrative article **dies-** (*this / these / this one*) is used to point out one thing / person from a few / many. It is used with all genders and cases and needs **endings** to indicate them. The endings are identical or similar to the ones of the definite article.

Dieser Lehrer unterrichtet Mathematik.   *This teacher is teaching maths.*
Diese Schauspielerin wohnt   *This actress lives*
   in Frankfurt.   *in Frankfurt, too.*
Dieses Auto gefällt mir gut!   *I like this car a lot!*

Welch- and dies-

Welch- and **dies-** are very often used together in questions and answers. Sometimes the **definite article** is accompanied by a local adverb: **hier / da / dort**. They can be used in the same way as the demonstrative article **dies-**.

Welch-? / Dies-					
nominative		accusative		dative	
• Welcher?	Dieser. / Der da.	Welchen?	Diesen. / Den da.	Welchem?	Diesem. / Dem da.
• Welches?	Dieses. / Das hier.	Welches?	Dieses. / Das hier.	Welchem?	Diesem. / Dem hier.
• Welche?	Diese. / Die da.	Welche?	Diese? / Die da.	Welcher?	Dieser. / Der da.
• Welche?	Diese. / Die dort.	Welche?	Diese. / Die dort.	Welchen?	Diesen. / Denen dort.

Verb lassen + infinitive

The irregular verb **lassen** has many meanings and functions in German. For example, it can be used together with the **infinitive** form of another verb. In this case **lassen** means *to let somebody do something for us / to have something done / to get something done.*

Ich **lasse** meine Haare **schneiden**.   *I have my hair cut. / I let somebody cut my hair.*

Lassen Sie Ihren Briefkasten vom Nachbarn **leeren**, wenn Sie weg sind.   *Have your letterbox emptied by your neighbour when you are away.*

		lassen
singular	ich	lasse
	du	lässt
	er/sie	lässt
plural	wir	lassen
	ihr	lasst
	sie/Sie	lassen

Cultural Studies

A short selection of children's literature classics in German

Fairy Tales and the Brothers Grimm

Hansel and Gretel, Snow White, Rapunzel, Cinderella and Little Red Riding Hood are only a small selection of the famous fairy tale characters that have entertained children's minds across the world. Many of these stories have been with us for a very long time, are truly embraced worldwide and are equally loved by both children and adults.

In Romanticism, there was a noticeable revived interest in traditional folk and fairy tales and among the first enthusiasts to collect and publish these folk tales were two brothers from the town of Hanau in Germany – Jacob and Wilhelm Grimm.

Jacob Ludwig Carl Grimm, the older of the two, was born in 1785 and Wilhelm Carl Grimm, born a year later, both studied law at the University of Marburg. There they first encountered German folklore and while being influenced by German Romanticism and several folk poetry collections of the time, began their own collection of oral fairy tales. In 1812, they published volume one of *Kinder- und Hausmärchen* ("Children's and Household Tales") containing 86 fairy tales and more commonly known as "Grimm's Fairy Tales". Over the next few years, the brothers revised and republished the first volume numerous times adding new stories from different cultures in order to increase the number of fairy tales to over 200 in the final version.

From 1808 onwards the brothers were working as librarians in Kassel. However, the brothers were not only librarians but also authors, linguists, cultural researchers, lexicographers and specialists in folklore and medieval studies. In 1829-1830, due to the success of their publications in many different scholarly fields, they both accepted positions at the University of Göttingen as professors and librarians.

Jacob and Wilhelm Grimm continued their work as collectors of traditional tales, mythologies and legends although their major project in later life was a German dictionary which they began in 1838. The *Deutsches Wörterbuch* (short: *DWB*), uncompleted in the brothers' lifetime, was only finished more than 100 years later in 1961 by a collaboration of many scholars and academic institutions. It is the most comprehensive and influential dictionary for the German language.

In 1859, Wilhelm Grimm died as a result of an infection; his older brother Jacob who was deeply upset at the death of his beloved brother, lived his last few years in seclusion and died 4 years later in 1863.

The Brothers Grimm are among the best-known story tellers and a world without their famous collection of fairy tales would be much less magical, imaginative and enchanted. Translated in more than 160 languages, the *Kinder- und Hausmärchen* retains its international significance and continues to delight youngsters from all backgrounds and cultures.

Wilhelm Busch: Pioneer of the comic strip

Ach, was muß man oft von bösen
Kindern hören oder lesen!
Wie zum Beispiel hier von diesen,
Welche Max und Moritz hießen;
Die, anstatt durch weise Lehren
Sich zum Guten zu bekehren,
Oftmals noch darüber lachten
Und sich heimlich lustig machten.

(aus: Wilhelm Busch: Max und Moritz)

Max und Moritz, a series of seven illustrated stories featuring two mischievous boys as the main characters, is one of the most popular works of Wilhelm Busch and was his breakthrough work after many difficult years. Not only was Heinrich Christian Wilhelm Busch (1832-1908) an accomplished author, he was also a painter and illustrator and the drawings that accompanied his poems earned him recognition as the inventor of the comic strip.

Wilhelm Busch, the first of seven children, was born in a small village near Hanover but at a young age, he was sent to live with his uncle in order to provide him with a better education. In 1847, Busch began his studies of mechanical engineering. However, after several years he realized that the arts were where his true passion lay and therefore in 1851, he commenced his study of arts only to abandon them two years later. The following years were hard for Wilhelm Busch as he was struck down by disease, encountered periods of aimlessness, being penniless and unable to find either employment or a publisher for his work which of course contributed to his general unhappiness. However, after many challenging years, he finally found a publisher for his story *Max und Moritz – Eine Bubengeschichte in sieben Streichen*. Even though the illustrated story was not particularly successful when first published in 1865, at the time of his death over 40 years later almost half a million copies had been sold and Wilhelm Busch was one of the most famous Germans to be known abroad. Nonetheless, he mostly lived a life of seclusion struggling with many personal issues. He wrote and painted regularly and left behind a vast collection of work – most of which he considered not good enough for publication.

Busch took inspiration from everyday life and criticised many aspects of society such as the rich and the poor, city life and especially the church, as he took a strong anti-Catholic view. Publications such as *Die fromme Helene* or *Der Heilige Antonius von Padua* feature scenes criticising the church clergymen. His other important works are *Plisch und Plum* and *Hans Huckebein, der Unglücksrabe*.

In 2007, on the 175th anniversary of his birth year, Wilhelm Busch was celebrated widely with a number of his most famous works being republished. The *Wilhelm-Busch-Preis*, an annual poetry award, and the *Wilhelm Busch Museum* in Hanover are both important legacies to his memory.

Cultural Studies

Der Struwwelpeter by Heinrich Hoffmann

Another German children's classic is the book *Der Struwwelpeter* by Heinrich Hoffmann (1809-1894). In the weeks before Christmas in 1844, the German doctor Heinrich Hoffmann was looking for a Christmas present for his then three year old son Carl. Disappointed with the poor selection of children's books, he decided to write and illustrate his own. Thanks to the positive feedback from his son, family and friends, he published the book in 1845 initially only anonymously and called *Lustige Geschichten und drollige Bilder mit 15 schön kolorierten Tafeln für Kinder von 3–6 Jahren* ("Funny Stories and Whimsical Pictures with 15 Beautifully Coloured Panels for Children Aged 3 to 6"). Some years later, in 1858, the third edition was published and the title changed to *Der Struwwelpeter* who is the main character of the first story. The book was highly successful and was translated into many languages a short time after its first publication.

The ten rhyming stories mostly feature misbehaving children, for example, a girl who plays with matches, a violent boy, one who does not want to eat his soup, one who does not want to wash himself and another who cannot sit still. All the children suffer consequences of their naughtiness and two children even die which makes one question whether this book was ever really suitable as a bedtime story for children.

Many songs, musicals, plays and stories featuring the characters from the book have been written since with *Struwwelpeter* most often taking centre stage. Some of the character names from the original book even made their way into everyday German language such as *Hans Guck-in-die-Luft*, referring to someone who is a dreamer, *Suppenkaspar*, someone who does not want to eat or a *Zappelphilipp*, a hyperactive child.

Heidi by Johanna Spyri

Heidi, a young orphan girl in the Swiss Alps, is the main character of the Swiss novel with the same title. A novel which is undoubtedly the most famous piece of Swiss literature with translations into more than 50 languages, more than 50 million copies sold and numerous adaptations for films and musicals. The first Heidi story *Heidis Lehr- und Wanderjahre* ("Heidi's years of learning and travel") was published in 1879, the second volume *Heidi kann brauchen, was es gelernt hat* ("Heidi makes use of what she has learned") two years later in 1881.

The author Johanna Spyri, born as Johanna Louise Heusser in 1827, married the lawyer Bernhard Spyri in 1852 and some 20 years later she started writing stories and novels for children. She took a special interest in the situation of children and young women and gave them a voice. That is quite remarkable for a writer in 19th century Europe as children then were mainly considered imperfect adults.

Spyri's personality was complicated and she suffered from bouts of depression, particularly in her younger years as she felt she was trapped in an unhappy marriage. In later life however, especially as a widow, she seemed to be more positive and outgoing and generally happier spending her time travelling or with friends. Perhaps her writing, the recognition of being a published author or the strong success of her publications may have helped. Johanna Spyri died in 1901.

Lektion 22: Seit ich meinen Wagen verkauft habe, …

BILDLEXIKON

an·klicken	Zuerst müssen Sie „Auskunft und Buchung" anklicken.	to click (on)
die Anmeldung, -en	Drucken Sie die Anmeldung aus.	enrolment
aus·drucken	Zweimal den Vertrag ausdrucken.	to print
der Benutzername, -n	Geben Sie Ihren Benutzernamen ein.	user name
ein·loggen	Sich mit Ihren Zugangsdaten bei MC einloggen.	to log in/on
das Passwort, ⸚er	Dann müssen Sie Ihr Passwort eingeben.	password
das Sonderzeichen, -	Wo finde ich das Sonderzeichen?	additional character

AM COMPUTER

(sich) an·melden (A1)

an·klicken

ein·loggen

der Benutzername, -n

das Passwort, ⸚er

aus·füllen (A1)

aus·drucken

2

außerhalb	Die Freundin wohnt etwas außerhalb.	outside
das Carsharing (Sg.)	Carsharing wird immer beliebter.	car sharing
der Carsharing-Nutzer, -	Wir haben Carsharing-Nutzer gefragt: Warum brauchen Sie kein eigenes Auto?	car sharing user
erreichen	Man kann die Freundin mit öffentlichen Verkehrsmitteln nicht gut erreichen.	to reach
der Firmenberater, - / die Firmenberaterin, -nen	Ich bin sehr viel unterwegs, seitdem ich als Firmenberaterin arbeite.	company consultant
die Geschäftsleute (Pl.)	Es dauert nicht mehr lange, bis die meisten Geschäftsleute so reisen.	business people
höchstens	Carsharing lohnt sich, wenn man höchstens 5000 Kilometer pro Jahr fährt.	at most
die Kfz-Steuer, -n	Man kann ohne Auto Geld sparen, weil man keine Kfz-Steuer bezahlen muss.	car tax
der Podcast, -s	Welcher Podcast passt?	podcast
preiswert	Die Person reist preiswert und umweltfreundlich.	good value
der Radiomoderator, -en	Welche Aussage passt zum Radiomoderator?	radio host
die Radiosendung, -en	Hören Sie den Anfang der Radiosendung.	radio programme

der Stadtrand (Sg.)	Seit meine Freundin am Stadtrand wohnt, fahre ich mit dem Auto zu ihr.	outskirts, edge of town
teilen	Carsharing bedeutet: Man besitzt kein eigenes Auto, man teilt eines mit anderen.	to share
umweltfreundlich	Die Person reist preiswert und umweltfreundlich.	environmentally friendly

TIPP Schreiben Sie schwierige Wörter oft auf und sprechen Sie sie laut.

3

die Allergie, -n	Ich hatte viele Allergien.	allergy
der Stau, -s	Ich habe morgens immer eine Stunde im Stau gestanden.	traffic jam
der Vegetarier, - / die Vegetarierin, -nen	Bis ich Vegetarierin geworden bin, habe ich viel Fleisch gegessen.	vegetarian
zu·nehmen	Seitdem ich das Rauchen aufgehört habe, habe ich fünf Kilo zugenommen.	to put on weight

4

die Chipkarte, -n	Öffnen Sie das Fahrzeug mit Ihrer Chipkarte.	chip card
die Filiale, -n	Sie müssen einmal mit dem Vertrag zur Filiale kommen.	branch
der Vertrag, ⸚e	Sie müssen einmal mit dem Vertrag zur Filiale kommen.	contract
die Zugangsdaten (Pl.)	Loggen Sie sich mit Ihren Zugangsdaten ein.	access data
zurück·bringen	Zuletzt müssen Sie das Fahrzeug zurückbringen.	to return

5

| bestätigen | Danach müssen Sie die Reservierung bestätigen. | to confirm |
| ein·geben | Geben Sie den Benutzernamen und das Passwort ein. | to enter |

6

| der Einkauf, ⸚e | Welche Verkehrsmittel benutzt du für Einkäufe? | purchase, shopping |
| das Mofa, -s | Das mache ich mit dem Fahrrad oder mit dem Mofa. | small moped |

LERNZIELE

erklären	etwas erklären: Das ist ganz einfach.	to explain
die Online-Anmeldung, -en	Online-Anmeldung: Melden Sie sich online bei MC an.	online registration
seitdem	Seit(dem) ich meinen Wagen verkauft habe, muss ich mich um nichts mehr kümmern.	since

Lektion 23: Der Beruf, der zu mir passt.

1

die Gartenarbeit, -en	Vielleicht ist Gartenarbeit sein Hobby.	gardening

BILDLEXIKON

die Bewerbung, -en	Wo ist die Bewerbung, die vorgestern mit der Post gekommen ist?	application
mündlich	Die mündlichen Prüfungen sind im Juni.	oral
der Lebenslauf, ⁼e	*Wo ist der Lebenslauf?*	*curriculum vitae (CV)*
die Lehre, -n	Er hat eine Lehre als Elektroinstallateur begonnen.	apprenticeship
die Note, -n	In dieser Schule bekommt Ihr Kind keine Noten.	mark
der Schulabschluss, ⁼e	*Welchen Schulabschluss hast du?*	*graduation*
das Zeugnis, -se	Bist du zufrieden mit deinem Zeugnis?	report

> **TIPP**
> Wörter mit „-ung" haben immer den Artikel „die".
> Welche Wörter kennen Sie noch?

die Bewerbung

3

das Abitur (Sg.)	Nach dem Abitur hat er ein Medizinstudium angefangen.	school leaving examination
die Berufswahl (Sg.)	Das Buch soll jungen Menschen bei der Berufswahl helfen.	career choice
das Jurastudium (Sg.)	*Auch das Jurastudium war „nicht sein Ding".*	*law studies (pl.)*
der Landschaftsgärtner, - / die Landschaftsgärtnerin, -nen	*Er ist nun seit vielen Jahren ein zufriedener Landschaftsgärtner.*	*landscape gardener*
das Medizinstudium (Sg.)	Nach dem Abitur hat er ein Medizinstudium angefangen.	study of medicine
der Schreiner, - / die Schreinerin, -nen	*Er trifft einen Mann, der schon 40 Jahre als Schreiner arbeitet.*	*joiner, carpenter*

der Arzt, ⁼e (A1)

der Architekt, -en (A1)

der Elektroinstallateur, -e

der Gärtner, -

der Ingenieur, -e (A1)

der Schreiner, -

der Verkäufer, - (A1)

BERUFE

4

die Buchhaltung (Sg.)	Frau Aigner ist die Kollegin aus der Buchhaltung.	accounting
kündigen	Sie hat vorgestern gekündigt.	to resign
die Kündigung, -en	Er hat letzte Woche seine Kündigung bekommen.	resignation, notice
neulich	Wir haben sie neulich auf dem Parkplatz gesehen.	recently
der Praktikant, -en / die Praktikantin, -nen	Die beiden neuen Praktikanten kommen nächste Woche.	placement student, trainee
der Verkauf, ⸚e	Sie kommen zu uns in den Verkauf.	sale
die Weihnachtsfeier, -n	Du hast sie auf der Weihnachtsfeier kennengelernt.	Christmas party

5

das Einkommen, -	Mit meinem Einkommen bin ich sehr zufrieden.	income
vor·haben	Ich möchte mehr verdienen. Das habe ich fest vor.	to intend

6

das Berufskolleg (Sg.)	Das Berufskolleg ist eine Berufsschule.	business/technical college
die Berufsschule, -n	Ich mache gerade eine Ausbildung als Elektro-installateur und gehe auf die Berufsschule.	vocational school/college
das Bundesland, ⸚er	In Deutschland hat jedes Bundesland ein eigenes Schulsystem.	(federal) state
die Fachhochschule, -n	Für die Fachhochschule braucht man (Fach-)Abitur.	college
die Fachoberschule, -n	Nach der Realschule kann man auf die Fachoberschule gehen.	German type of school education, often specialized in specific areas (e.g. technology)
die Gesamtschule, -n	In einer Gesamtschule kann man verschiedene Schulabschlüsse machen.	comprehensive school
die Grafik, -en	Sehen Sie die Grafik an.	table, diagram, chart
die Grundschule, -n	Am besten haben mir die ersten vier Schuljahre in der Grundschule gefallen.	primary school
das Gymnasium, -ien	Ich möchte das Abitur machen. Deshalb gehe ich aufs Gymnasium.	grammar school, academic high school
die Hauptschule, -n	Die Hauptschule heißt in manchen Bundes-ländern Mittelschule.	lower secondary education
die Krippe, -n	Die Krippe ist für Kinder zwischen 0 und 3 Jahren.	daycare centre, crèche, nursery
die Mittelschule, -n	Im Bundesland Bayern heißen Hauptschulen jetzt Mittelschulen.	middle school
die Oberschule, -n	In die Oberschule gehen Jugendliche.	grammar school
die Realschule, -n	Nach der Realschule kann man eine Lehre machen oder auf die Fachoberschule gehen.	type of secondary high school

das Schema, -s / -ta	*Sehen Sie das Schema an.*	*schematic diagram*
das Schulsystem, -e	*In Deutschland hat jedes Bundesland ein eigenes Schulsystem.*	*school system*
der Schultyp, -en	*Welcher Schultyp passt zu ihr?*	*school type*
die Sekundarschule, -n	*= Gesamtschule*	*secondary school*

LERNZIELE

der Klappentext, -e	*Lesen Sie den Klappentext.*	*blurb*
das Relativpronomen, -	*Relativpronomen: der, das, die …*	*relative pronoun*
der Relativsatz, ⸚e	*Relativsatz: Das ist das Buch, das mein Sohn gelesen hat.*	*relative clause*
die Unzufriedenheit (Sg.)	*Unzufriedenheit ausdrücken: Ich bin sehr unzufrieden damit.*	*dissatisfaction*
die Zufriedenheit (Sg.)	*Zufriedenheit ausdrücken: Mein Beruf macht mir großen Spaß.*	*satisfaction, contentment*

Lektion 24: Wie sah dein Alltag aus?

BILDLEXIKON

der Abflug, ⸚e	*Ich habe mein Visum kurz vor meinem Abflug bekommen.*	departure
der Anschluss, ⸚e	*Es ist ärgerlich, wenn man den Anschluss verpasst.*	connection
die Impfung, -en	*Vom Arzt habe ich ein paar Impfungen bekommen.*	vaccination
das Konsulat, -e	*Sie können das Visum beim Konsulat beantragen.*	consulate
das Visum, Visa/Visen	*Ich habe mein Visum kurz vor meinem Abflug bekommen.*	visa
der Zoll, ⸚e	*Kaufen Sie nicht zu viel, sonst bekommen Sie am Zoll Probleme.*	customs (pl.)

der Abflug, ⸚e

die Ankunft, ⸚e

der Anschluss, ⸚e

die Grenze, -n

die Impfung, -en

das Konsulat, -e

der Pass, ⸚e

das Visum, Visa/Visen

der Zoll, ⸚e

FLUGREISEN

3

beantragen	Sie können das Visum beim Konsulat beantragen.	to apply for, to request
die Kontrolle, -n	An der Grenze gibt es oft Kontrollen.	check

4

all	Der Kontakt zu all den Frauen war wunderschön.	all
aus·fallen	Das Mittagessen musste leider oft ausfallen.	to be cancelled
die Büroarbeit, -en	Nach einem kleinen Frühstück habe ich die Büroarbeit gemacht.	paperwork
die Erinnerung, -en	Was sind die schönsten Erinnerungen an deine Arbeit?	memory
freiberuflich	Ich habe als freiberufliche Hebamme gearbeitet.	freelance
die Geburt, -en	Jede Geburt war ein tolles Erlebnis.	birth
gültig	Mein Pass war nicht mehr gültig.	valid
die Hebamme, -n	Patricia Günther ist Hebamme.	midwife
die Komplikation, -en	Oft gab es eine Geburt mit Komplikationen.	complication
leiten	Ich sollte ein Team leiten.	to lead
national	Manchmal haben wir mit den nationalen und den internationalen Kollegen Volleyball gespielt.	national
(das) Nigeria	Im Januar fliege ich nach Nigeria.	Nigeria
der Pass, ⸚e	Mein Pass war nicht mehr gültig.	passport
der Sudan	Sie war sechs Monate lang für Ärzte ohne Grenzen im Sudan.	Sudan
die Vorbereitung, -en	Waren die Vorbereitungen kompliziert?	preparation
weiter·empfehlen	Würdest du so ein Projekt weiterempfehlen?	to recommend
die Zwillingsgeburt, -en	Oft gab es eine Zwillingsgeburt.	twin birth

5

das Austauschpro-gramm, -e	Er war mit dem Austauschprogramm Erasmus dort.	exchange programme
(das) Erasmus (-programm)	Er war mit dem Austauschprogramm Erasmus dort.	Erasmus programme
der Mitschüler, - / die Mitschülerin, -nen	Abends hat sie ihre Mitschüler getroffen.	classmate
die Organisation, -en	Mit welcher Organisation kam er dorthin?	organisation
die Präteritumform, -en	Ergänzen Sie die Tabelle mit den Präteritumformen.	simple past form
der Schüleraustausch (Sg.)	Sie hat einen Schüleraustausch gemacht.	student's exchange programme
der Sportverein, -e	Danach hat sie im Sportverein trainiert.	sports club
die Sprachreise, -n	Sie war mit Lingua Sprachreisen dort.	language study travel
das Studentenwohn-heim, -e	Es war sehr laut im Studentenwohnheim.	hall of residence, dorm
die Verspätung, -en	Der Bus hatte oft Verspätung.	delay
das Wohnheim, -e	Die Küche im Wohnheim war nicht sehr sauber.	hostel, residential home

6

der Auslandsaufent-halt, -e	Welche Erfahrungen haben Sie mit Auslands-aufenthalten?	stay abroad
der Erfahrungs-bericht, -e	Schreiben Sie einen Erfahrungsbericht.	experience report
erfinden	Wollen Sie einen Bericht erfinden?	to invent

7

die Amtssprache, -n	Welches Land hat die meisten Amtssprachen?	official language
das Kaffeehaus, ̈er	Welches Land ist für seine Kaffeehäuser bekannt?	coffee shop
das Nationalgericht, -e	Was ist das bekannteste Schweizer National-gericht?	national dish

LERNZIELE

die Begeisterung (Sg.)	*Begeisterung ausdrücken: Das war ein tolles Jahr.*	*excitement*
die Enttäuschung, -en	*Enttäuschung ausdrücken: Es war keine schöne Zeit.*	*disappointment*
das Erlebnis, -se	*Das war ein Jahr mit vielen schönen Erlebnissen.*	*experience*
das Mitarbeiterporträt, -s	*Überfliegen Sie das Mitarbeiterporträt.*	*staff portrait*
die Mobilität (Sg.)	*Wortfeld Mobilität: Patricia Günther war sechs Monate lang im Sudan.*	*mobility*

TIPP

Welche Wörter aus früheren Lektionen kennen Sie schon zum Thema „Reisen"? Sammeln Sie bekannte Wörter und schreiben Sie einen kurzen Text.

Insel – Strand – besichtigen – Pass

Letztes Jahr waren wir auf Rügen, das ist die größte deutsche Insel. Die weißen Sandstrände ...

MODUL-PLUS FILM-STATIONEN

1

der Assistenzarzt, ̈e / die Assistenzärztin, -nen	*Dort bekam ich eine Stelle als Assistenzarzt.*	*registrar, assistant doctor*
das Auslands-semester, -	*Gemeinsam verbringen sie ein Auslandssemester in Australien.*	*term abroad*
(das) Australien	*Gemeinsam verbringen sie ein Auslandssemester in Australien.*	*Australia*
begeistert	*Anfangs war ich nicht begeistert.*	*keen, excited*
bereits	*Drei Umzüge hat Kai Ebel bereits hinter sich.*	*already*
der Betreuungsplatz, ̈e	*Er hat Betreuungsplätze für die Kinder gefunden.*	*care centre*
die Chefarztstelle, -n	*Diese Chefarztstelle in der Schweiz reizt ihn schon.*	*head/senior doctor*
das Einfamilienhaus, ̈er	*Familie Ebel wohnt in einem hübschen Einfamilienhaus.*	*detached house*

ein·stellen (sich)	Stellen Sie sich auf unruhige Wanderjahre ein.	to attune
der Facharzt, ⁼e / die Fachärztin, -nen	Er hatte eine Stelle als Facharzt.	specialist, consultant
die Facharztstelle, -n	Ein Krankenhaus bot mir eine Facharztstelle an.	specialist/consultant position
die Flexibilität (Sg.)	*Der Beruf verlangt viel Flexibilität.*	*flexibility*
gefragt (sein)	*Zum Glück sind Physiotherapeuten sehr gefragt.*	*to be in demand*
gründen	Dreimal ist er schon umgezogen, als er eine Familie gründet.	to establish
immerhin	*Immerhin drei Jahre verbringt die Familie in Kassel.*	*at least; after all; all the same*
der Kindergarten- platz, ⁼e	Bis wir einen Kindergarten- und einen Krippen-platz hatten, zog es mich schon weiter.	place in a kindergarten
der Krippenplatz, ⁼e	*Bis wir einen Kindergarten- und einen Krippenplatz hatten, zog es mich schon weiter.*	*place in a nursery/crèche*
die Oberarztstelle, -n	*Erst als Herr Ebel von einer freien Oberarztstelle erfährt, bewirbt er sich wieder.*	*consultant position*
obwohl	Obwohl – diese Chefarztstelle reizt ihn schon.	although
der Physiotherapeut, -en / die Physiotherapeutin, -nen	*Seine spätere Frau macht eine Ausbildung zur Physio-therapeutin.*	*physiotherapist*
sorgenfrei	*Sie träumen von einem sorgenfreien Leben mit Familie?*	*carefree*
der Traumberuf, -e	Arzt – ein Traumberuf?	dream job
unruhig	*Stellen Sie sich auf unruhige Wanderjahre ein.*	*unsettled*
unter·bringen	*Erst wenn die Kinder untergebracht waren, konnte ich selbst Arbeit suchen.*	*to accommodate so.*
der Verdienst, -e	*Auch wenn der Verdienst besser war – anfangs war ich nicht begeistert.*	*earnings (pl.)*
verlangen	Der Beruf verlangt viel Flexibilität.	to demand
vorne: von vorne	*Ich musste ja auch jedes Mal wieder von vorne anfangen.*	*ahead, up front; here: from scratch*
das Wanderjahr, -e	*Stellen Sie sich auf unruhige Wanderjahre ein.*	*year of travel*

MODUL-PLUS FILM-STATIONEN

1

der EC-Automat, -en	*Der EC-Automat ist kaputt.*	*cash machine, cashpoint*

2

der Kredit, -e	Er hilft mit einem Kredit.	credit

MODUL-PLUS PROJEKT LANDESKUNDE

1

die Jobvermittlung, -en	Die Organisatoren helfen bei der Jobvermittlung.	job placement
die Küchenhilfe, -n	Möchten Sie als Küchenhilfe in die USA?	kitchen hand
(das) Neuseeland	*Sie möchten als Kellner nach Neuseeland.*	*New Zealand*
nötig	Das ist eine günstige Variante, weil man sich das nötige Geld durch Jobben verdienen kann.	necessary
die Olivenernte, -n	*Oder zur Olivenernte nach Italien?*	*harvest of olives*
teil·nehmen	Teilnehmen kann jeder zwischen 18 und 30 Jahren.	to participate
die Weinlese, -n	*Zur Weinlese nach Deutschland?*	*grape harvest*
das Work & Travel-Programm, -e	*Work & Travel-Programme sind bei jungen Erwachsenen beliebt.*	*work-travel programme*

2

die / das Au-pair, -s	*Ich möchte gern als Au-pair ein Jahr ins Ausland.*	*au pair*
die Broschüre, -n	Machen Sie eine Broschüre im Kurs.	brochure
die Freiwilligenarbeit (Sg.)	Ich suche eine Organisation für Freiwilligen-arbeit.	voluntary work
die Reiseform, -en	Suchen Sie eine Organisation, die diese Reise-form anbietet.	method of travel

MODUL-PLUS AUSKLANG

1

der Gedanke, -n	Gedanken, die man denkt.	thought
der Kuss, ⸚e	Küsse, die man gibt.	kiss
riechen	Die Bäume, die man riecht.	to smell

Grammar Explanations

Lektion 22: Seit ich meinen Wagen verkauft habe, ...

Temporal conjunctions seit(dem) and bis

Seit / seitdem and **bis** are subordinating temporal conjunctions.

seit / seitdem (*since* – from a point in time; not used to describe cause / reason) refers to a moment in the past, when something happened / started.

Sie ist viel glücklicher, seit(dem) sie in Berlin wohnt.	*Since she's been living in Berlin, she's much happier.*

bis (*until, by*) refers to a moment in the future, when something will happen / end.

Es dauert lange, bis man hier einen Parkplatz findet.	*It takes time until you will find a parking space here.*

Order of clauses in subordinate structures

Every subordinate structure has a minimum of two parts called **clauses**: the main clause – **Hauptsatz** – and the subordinate clause (introduced by a conjunction) – **Nebensatz**.

When the sentence begins **with a subordinate clause** the whole subordinate clause is treated as the **first place in the sentence**. Therefore **the main clause starts with a verb**, straight after the comma.

When the sentence **begins with the main clause**, the verb in it is placed **second**.

Nebensatz (Subordinate clause)	**Hauptsatz (Main clause)**
Seit sie in Berlin wohnt,	ist sie glücklicher.
Bis man hier einen Parkplatz findet,	dauert es lange.

Hauptsatz (Main clause)	**Nebensatz (Subordinate clause)**
Sie ist glücklicher,	seit sie in Berlin wohnt.
Es dauert lange,	bis man hier einen Parkplatz findet.

Regardless of where the subordinate clause is placed, the verb in personal form will always be at the very end of it.

Infinitive and instructions

Instead of the imperative, it is common to give **instructions** by using the **infinitive form** of the verb.

Online bei MobilCity **anmelden**.	*Sign in with MobilCity.*
Ein Fahrzeug in der Nähe **wählen** und **mieten**.	*Choose and rent a vehicle nearby.*
Das Fahrzeug mit der Chipkarte **öffnen**.	*Open the vehicle with the chip card.*

Grammar Explanations

Lektion 23: Der Beruf, der zu mir passt.

Relative pronouns and relative clauses

Relative pronouns (*Relativpronomen*) introduce **subordinate relative clauses** (*Relativsätze*) and refer to a noun or another pronoun that has been mentioned before.

Das ist **die Arbeit**, **die** so gut bezahlt wird.   *This is the job that is so well paid.*

Das ist **der Beruf**, **den** ich liebe.   *This is the job that I love.*

Relative pronouns can refer to a person or a thing. They are used in all cases. The English equivalents would be: **who / whom, which or that**.

Relative pronouns can also be called *relative articles* and they look **identical to definite articles** in almost all cases.

Relative pronouns and relative clauses		
	nominative	accusative
Das ist der Beruf,	**der** zu mir passt.	**den** ich liebe.
Das ist das Buch,	**das** so gut ist.	**das** ich gelesen habe.
Das ist die Arbeit,	**die** gut bezahlt wird.	**die** ich liebe.
Das sind die Jobs,	**die** zu uns passen.	**die** ich machen könnte.

Lektion 24: Wie sah dein Alltag aus?

Simple past tense Präteritum

The simple past tense **Präteritum** (also called **Imperfekt**) is primarily used in **written** form. The conjugation is simple and quite similar to the one in present tense. Still the endings (or lack of them) are specific and have to be learnt. All verbs in **Präteritum** follow the rule that the **1st** and the **3rd person singular** are **identical**.

Grammar Explanations

Regular verbs have a distinctive part **-te** and a regular ending. The verbs like **arbeiten** look unusual, as they seem to have **-te twice** in some personal forms.

Regular verbs		sagen	arbeiten
singular	ich	sagte	arbeitete
	du	sagtest	arbeitetest
	er/es/sie	sagte	arbeitete
plural	wir	sagten	arbeiteten
	ihr	sagtet	arbeitetet
	sie/Sie	sagten	arbeiteten

Irregular verbs have their own **irregular forms** and mostly regular endings. The **1st** and **3rd person singular** have mostly **no endings** at all and are **always identical**. The best way to learn the irregular forms is to memorize them.

Irregular verbs		kommen	geben	finden	sehen
singular	ich	kam	gab	fand	sah
	du	kamst	gabst	fandest	sahst
	er/es/sie	kam	gab	fand	sah
plural	wir	kamen	gaben	fanden	sahen
	ihr	kamt	gabt	fandet	saht
	sie/Sie	kamen	gaben	fanden	sahen

Separable verbs (regular and irregular ones) in past tense are used exactly like in present tense.

absagen (*to cancel*)
Er **sagte** den Termin **ab**.   *He cancelled the appointment.*

ankommen (*to arrive*)
Der Zug **kam** um 17 Uhr 30   *The train arrived in Munich*
    in München **an**.   *at 5.30 pm.*

The Dual Education System

Germany and Austria both have very low youth unemployment and often it has been said that the excellent education system is the reason for their success. Both countries feature a dual system of vocational education and training (VET), in German *Duales Ausbildungssystem*. So the questions are what exactly is this system, what does it involve and how does it work? Let's take a closer look.

The key ingredients of the dual system of vocational education and training are simple: a combination of in-company training and vocationally specific classroom education ensures that once youngsters have finished their apprenticeship, they are highly qualified and well-prepared for the world of real employment. This well-structured mixture of theory and practice proves to be so successful that on average two thirds of young Germans are educated in this system in approximately 350 different occupations. Whether you wish to be a baker, an optician, a chef or a photographer, the on-the-job training paired with the acquisition of theoretical knowledge in a school is an effective and successful model for a wide variation of careers. The current dual education system dates from 1969, although it is based on much older traditions and has historical roots that go back to the apprentice system of the Middle Ages.

This learning-by-doing approach has many advantages. One of the most important is the fact that young people realize very early in their professional life whether their selected occupation really is for them and they learn what the job is like day in, day out very quickly. It is the responsibility of each individual student to directly approach a company and apply for an apprenticeship. If successful, the employer enrols the youngster in a school, in German called *Berufsschule*. On average, an apprenticeship lasts between two to three-and-a-half years. It is strictly regulated by law and has to follow certain identifiable standards.

Generally, right from the beginning, students are obliged to work and gain hands-on experience in a company 3-5 days each week and 1 or 2 days in a classroom where they take courses specifically designed for their chosen profession. Sometimes the two components are structured in blocks separately: in this case the students, who are aged mostly between 16 to 18 years spend several weeks working in a company followed by several weeks attending school.

Job security and financial stability are two of the most often cited reasons why many young adults decide to join the VET system. Most participants in this scheme earn money right from day one as nearly all apprenticeships pay a stipend which is on average 680 euro per month (2014). Approximate costs per trainee are believed to be 15,000 euro per annum but not all of this amount is covered by private companies, which are the main participants in this dual-education programme, as they bear only two thirds of the total training cost. There is also a return investment that has to be taken into account.

Firstly, the apprentices contribute to the workforce straight away and the company saves by not having to employ additional fully-trained staff who are more expensive. Secondly, after several years of successfully working together, it is often the case that companies and trainees remain together after completion of the apprenticeship which has many advantages for both the employee and employer. The accredited employee has gained invaluable experience of all workings in the employer's business and is equipped to comprehend and achieve their employer's standards. The company also saves money by not having to train a new employee. The company is assured that they have exactly the skilled person they wish, as they have by then worked together for several years which greatly reduces the risk of hiring the wrong person for the job.

Another important benefit of the dual VET system is the fact that there is also a considerable saving for the government who keep the youth unemployment rate low while guaranteeing a continuous supply of highly-qualified employees into the workforce.

Nonetheless, some critics of this holistic approach of education claim that the costs involved for training – both time and money – are still too high and that there are too many regulations that have to be followed by the training companies which may be restrictive for small, private companies. Furthermore, many highly-specialised companies believe it is nearly impossible to find the right student who can promptly learn and become competent in all required areas of training. Positions that are by their nature not as complex and challenging are often filled with apprentices with a low level of education who then struggle to succeed in the theoretical part of the programme. On the other hand, the apprenticeships offered may not be attractive to potential apprentices.

In general, the fusing of practice and theory, of knowledge and skills, has proven to be highly successful and the fact that German and Austria have boasted such enviable economic results in recent times must reflect on the success of this unique programme.

Voluntary Ecological Year – Freiwilliges ökologisches Jahr

An increasing number of teenagers and young adults choose to take a year off academic study or employment and work for a voluntary organisation in order to enrich their knowledge of environmental, cultural and political issues. This is called "Voluntary Social Year" and one option within this programme is the FÖJ (*Freiwilliges ökologisches Jahr*) – a voluntary ecological year where youngsters get the opportunity to learn about nature protection and environmental education.

Young people aged between 16 and 26 apply for a period of 12 months usually beginning in August. Interestingly, the programme is state-funded – presumably because the German government can see the long-term benefit for society. Also, it gives young people the opportunity to experience a wide variety of situations which empowers them to discover their preferred orientation in life.

The aim of the *FÖJ* is to raise awareness of environmental issues such as conservation, sustainability, ecological protection and responsibility for nature. Placements vary greatly but often include forests, national parks or outdoor areas where school groups can be educated about the local ecology and bio-diversity.

Youngsters receive guidance and training and have to attend a number of seminars throughout the year. Even though the range of placements is substantial, there are still some rules and regulations in place that have to be followed such as working hours, health and safety and recompense (which often includes free accommodation).

Universities and employers are providing greater flexibility for people wishing to join such programmes as they can see the long-term benefits to both themselves and the young adult.